Strade blu

Mario Calabresi

LA MATTINA DOPO

MONDADORI

Dello stesso autore
in edizione Mondadori

Spingendo la notte più in là
La fortuna non esiste
Cosa tiene accese le stelle
Non temete per noi, la nostra vita sarà meravigliosa

librimondadori.it

La mattina dopo
di Mario Calabresi
Collezione Strade blu

ISBN 978-88-04-66319-5

I edizione settembre 2019

Indice

La mattina dopo

Questo libro è dedicato a quanti – madri, padri, mogli, mariti, fidanzati, fratelli, sorelle, figli e amici – si prendono cura di chi combatte per tornare alla vita.
Ne ho incontrati tanti e la loro dedizione è commovente.

Caminante, son tus huellas
el camino, y nada más;
caminante, no hay camino,
se hace camino al andar.
Al andar se hace camino,
y al volver la vista atrás
se ve la senda que nunca
se ha de volver a pisar.
Caminante, no hay camino,
sino estelas en la mar.

Tu che sei in cammino, sono le tue orme
la via, e niente più;
tu che sei in cammino, non c'è via,
la via si fa andando.
Andando si fa la via,
e nel guardare indietro
si vede la strada che mai
si tornerà a rifare.
Tu che sei in cammino, non c'è via
soltanto scie sul mare.

ANTONIO MACHADO

I

Il sogno

Continuo a fare lo stesso sogno, ogni notte. Arrivo alla riunione del mattino al giornale, sono tutti già attorno al tavolo, mi siedo e inizio a proporre idee per la giornata, segnalo un titolo che non funziona sul sito e chiedo spiegazioni sul perché non sia stato fatto un pezzo. Nessuno risponde, tutti stanno in silenzio, finché qualcuno mi fa un cenno e scuote la testa. Solo allora mi rendo conto che con la riunione io non c'entro più nulla e mi alzo. A quel punto mi sveglio e mi arrabbio con il mio inconscio che continua a tornare là.

Non esiste una vaccinazione per la mancanza delle abitudini, esiste solo il tempo necessario per farsene una ragione.

I primi giorni sono come una corrente a cui non si riesce a sfuggire: non fai che pensare a quello che hai perso. Come un fiume in piena che ti trascina, ogni tanto incontri una roccia o un ramo e per un attimo rallenti, metti la testa fuori, fai un respiro profondo. Per un momento t'illudi di aver razionalizzato, di aver trovato una spiegazione convincente capace di mettere da parte la sofferenza o di contenerla, ma l'istante dopo l'hai già dimenticata e sei tornato in balia della corrente.

Le cose peggiori sono il silenzio e la fine di un tempo scandito da riti e abitudini. Ogni volta che me ne rendo conto sento quel vuoto allo stomaco che si prova quando ci si tuffa dall'alto.

Ogni persona che incontro fa le stesse due domande: «Che cosa è successo?». E poi: «Ma adesso cosa farai?». Per questo evito i luoghi affollati, soprattutto evito i luoghi dove si ritrovano i giornalisti. Non ho voglia di rispondere a queste domande troppo spesso e, quando lo faccio, rispetto un paio di regole che mi sono venute spontanee: niente lamentele (i dettagli che interessano a me non interessano a nessun altro) e niente finto ottimismo. Il miglior favore che ci si può fare in un momento di crisi è di non fingere che le cose vadano benissimo e che un milione di progetti ti aspettino. Ho sempre trovato patetica questa cosa. Così dico semplicemente che sto scrivendo un libro. Questo libro.

II

La crepa

La mattina dopo mi sono alzato alle cinque e un quarto. Ho fatto fatica ma era quello di cui avevo bisogno. Mi sono fatto la barba e ho continuato a dormire sotto la doccia bollente. Poi ero in ritardo e mi sono messo a correre, l'aereo per Madrid era alle sette e mezza.

Avrei potuto prenderlo a mezzogiorno o nel primo pomeriggio, quel volo, ma sapevo che non potevo permettermi un tempo vuoto, il dolore di sentire che una cosa che facevo da tanto e che pensavo avrei fatto per sempre era finita all'improvviso.

(Sono anni che mi interrogo sul giorno dopo, tutti sappiamo di cosa si tratta, di quel risveglio che per un istante è normale ma subito dopo viene aggredito dal dolore. La prima volta di solito è per la fine di una storia d'amore, ai tempi della scuola, poi la vita ne ha in serbo tanti altri, per alcuni troppi. La morte di un genitore, di un amico, di un compagno, di un figlio, la perdita del lavoro, un tragico errore, una bocciatura, una clamorosa sconfitta, anche la fine del lavoro e il primo giorno della pensione. Non esiste una scala del dolore, della sofferenza e del vuoto, niente può essere giudicato o paragonato, esiste però per tutti la mattina dopo, che può essere quella in cui provi a difenderti e a proteggerti o quella in cui inizi a naufragare.)

Ho sempre negli occhi un uomo potente, brillante e mitizzato che si trascina per il parco con un piccolo cane al guinzaglio e un fascio di giornali sotto il braccio. Sta cercando una panchina al sole. Mi fermo a guardarlo con un misto di attrazione e di compassione e quell'immagine mi resta in mente come un monito.

Quell'uomo si chiama Eliot Spitzer, era stato procuratore di New York, da giovane aveva messo in ginocchio la famiglia mafiosa dei Gambino, poi era diventato un idolo dell'opinione pubblica con le sue inchieste su Wall Street, la finanza e in difesa dei consumatori. Veniva ritratto come il nuovo Eliot Ness, l'agente dell'Fbi celebrato da Brian De Palma nel film *Gli intoccabili*, quello che riuscì a incastrare Al Capone per evasione fiscale trascinandolo in carcere.

Spitzer era diventato governatore dello Stato di New York e guardava alla Casa Bianca quando la sua carriera rimase impigliata per sempre in un elenco di clienti di un'agenzia di prostitute. Il suo nome apparve sul «New York Times» e due giorni dopo arrivarono le dimissioni. Aveva 49 anni, tre figlie adolescenti, un matrimonio in frantumi e una carriera finita. E aveva un cane. Quando lo incontrai a Central Park, alla fine della primavera del 2008, i fotografi e i giornalisti avevano ormai abbandonato il portone di casa sua. Non c'era più nessuno ad aspettarlo, era finalmente libero di perdersi nei suoi pensieri e nei suoi rimpianti.

La mia curiosità fu rapita dalla violenza del ritorno al grado zero, dal silenzio, dal fatto che nessuno lo salutasse, dalla fine dei doveri, da quell'agenda diventata improvvisamente vuota e da un telefono che non suonava più.

Ma più forte fu la compassione per lo schianto, il dolore subito e quello provocato, la pena per quei passi che si trascinavano nell'impermeabile troppo lungo.

Per anni ho collezionato nella memoria le storie di chi cade all'improvviso, di chi si trova a terra, di chi perde qualcosa per sempre. Continuo a trovare più interessante un politico che scende dall'auto blu perché ha perso le elezioni e il potere di chi si affaccia al balcone per festeggiare. C'è molta più umanità e verità nella difficoltà che nell'esaltazione della vittoria.

Mi piace indagare il silenzio e l'assenza più che il rumore. Nelle settimane dopo l'11 settembre ero a New York ma una volta sola sono andato a Ground Zero, per giorni ho cercato le conseguenze lontano dall'epicentro, dove non c'erano telecamere. Era il bambino con il cappello da vigile del fuoco del padre che seguiva il feretro durante il funerale cattolico con le cornamuse irlandesi; era la cameriera dell'albergo che mi chiedeva ogni giorno quanto sarei rimasto ancora, ero l'ultimo cliente e se fossi partito l'avrebbero licenziata (rimasi così a lungo che fecero in tempo a tornare i turisti); era il portiere del condominio che tutti i giorni metteva i fiori nella cassetta delle lettere della ragazza che lavorava in cima alla Torre Nord e di cui non si era trovato più nulla.

Passata l'onda della tempesta, sulla spiaggia restano i segni, i frammenti, i pezzi da recuperare. Torneranno normalità e calma ma osservando con attenzione si scopre che il paesaggio è cambiato, si è trasformato e non tornerà uguale.

Come restare indifferenti agli sguardi perduti di professori che lasciano l'insegnamento (per anni hanno detto che erano stanchi ma ora sentono il dolore di non avere più studenti a cui trasmettere il loro sapere), o di medici che lasciano l'ospedale, la sala operatoria, i pazienti? Ho sempre pensato, di fronte a un magistrato che esce dal Palazzo di Giustizia dopo quarant'anni di inchieste o a un poliziotto che restituisce la pistola e chiude per sempre le sue indagini, che bisogna essere preparati al momento del vuoto, quello in cui il tempo sembra fermarsi e perdere di senso. Alla prima mattina in cui nessuno ti sta aspettando a lezione, in corsia, in tribunale, in ufficio.

C'è però una mattina dopo che non può essere organizzata perché non poteva essere nemmeno immaginata. Accade con gli incidenti, le morti improvvise, accade quando l'equilibrio della tua vita è sconvolto senza preavviso. Per molti anni, il primo martedì di ogni mese, sono andato a pranzo nello stesso posto e alla stessa ora con il padre di un caro amico che è scomparso in un incidente in moto. Ci sono lutti e mancanze che forse non si elaborano mai, ma ricordare e provare a sorridere del ricordo è quello che possiamo cercare di fare.

Avrei voluto farne un libro ma non trovavo mai il tempo per scriverlo. Adesso quel tempo era arrivato. Una mattina mi avevano detto, con la stessa naturalezza con cui si parla del meteo, che avevano scelto un altro direttore al mio posto e che non c'era nulla di cui discutere, nemmeno tempi e modi. Nessun dramma, sono le regole del gioco, ma la mia agenda adesso era completamente vuota. E quella storia adesso era la mia storia. Non avevo bisogno di provare per sapere che anche il mio telefono sarebbe diventato improvvisamente muto, che la fila di quelli che mi venivano a trovare e mi invitavano a pranzo e cena si sarebbe immediatamente accorciata e che avrei dovuto fare i conti con mancanze e dipendenze dolorose. Ma sapevo anche che avrei apprezzato infinitamente quelli che invece ci sarebbero stati, perché le persone si scoprono nelle difficoltà, lì si misura la loro umanità.

Una cosa l'ho imparata da bambino, che se i rovesci si impara ad accettarli e si ha pazienza di alzare lo sguardo, allora diventano vere le parole di Leonard Cohen: «In ogni cosa c'è una crepa, è da lì che passa la luce».

Così ho cominciato questo viaggio, nelle memorie che da troppo tempo aspettavano di parlarmi, tra gli amici che mi stavano a cuore e dentro le storie che contenevano la soluzione.

III

Alzarsi all'alba

Ho allacciato la cintura e mi sono addormentato. Ho aperto gli occhi quando le ruote hanno avuto un piccolo rimbalzo toccando terra. Per molti anni atterrare a Madrid ha significato andare a «El País», che ha la sede poco lontano dall'aeroporto. Ho visto passare quattro direttori, con due di loro siamo rimasti amici, ma una cosa ha sempre accomunato tutti: il coraggio di cambiare, di mettere in atto radicali trasformazioni. Hanno smesso da tempo di guardare indietro per coltivare il rimpianto, un atteggiamento che gli ho sempre invidiato.

Questa volta il taxi non si è fermato, ha tirato dritto fino al centro. Avevo due ore, il tempo per lasciare la borsa in albergo, fare una passeggiata e comprare un mazzo di fiori.

Avevo paura di questa prima mattina senza un lavoro. Paura di non riuscire ad alzarmi dal letto, paura di girare a vuoto, paura di sentire il dolore per la mancanza di quei riti su cui avevo costruito la mia vita da tanto tempo: la sveglia alle sette meno un quarto, un controllo alle notizie della notte e all'apertura del sito, un'occhiata a Twitter e ai titoli di tutti i quotidiani. La barba, la doccia, la colazione leggendo i giornali e poi in ufficio. La riunione delle undici, gli appuntamenti a pranzo, la prima pagina alle sette di sera e la chiusura dopo le ventitré. Non sono mai riuscito a staccarmi dal telefono prima di mezzanotte. Adesso ho paura del vuoto.

Ho bisogno di occupare questa prima mattina con dei gesti buoni, ho bisogno di alzarmi all'alba, di andare a trovare qualcuno a cui voglio bene.

Alle undici, mentre sta per cominciare la riunione senza di me, entro in un piccolo negozio tenuto da una ragazza e cominciamo a parlare di fiori. Compro delle bellissime rose con il cuore bianco e i petali screziati di rosa antico. Sono per Francesca, la moglie di Roberto Toscano.

Roberto è la prima persona che voglio andare a trovare nel mio nuovo tempo vuoto. Un tempo da riempire di cose che valga la pena fare, non per dovere ma perché hanno un significato speciale. Roberto era un giovanissimo consigliere d'ambasciata a Santiago del Cile l'11 settembre 1973. Il giorno del golpe del generale Pinochet l'ambasciatore era in Italia e a rappresentare la nostra diplomazia c'erano solo lui e l'incaricato d'affari Piero De Masi. In assenza di istruzioni da Roma decisero di aprire le porte dell'ambasciata a chi scappava dalle retate della polizia segreta. Mentre i militari riempivano lo stadio di dissidenti, loro riempivano la casa e il giardino. Organizzarono un sistema di turni, per la cucina come per la doccia, progettarono giochi e attività per i bambini e cominciarono a preparare i documenti per far espatriare gli oppositori. Ogni volta che un salvacondotto era pronto e c'era un aereo in partenza per l'Europa, la macchina dell'ambasciata si avviava verso l'aeroporto. Ogni volta una scommessa. A bordo c'erano famiglie, studenti, attivisti politici che l'esilio avrebbe salvato dalle torture e dalle carceri.

Il nostro ministro degli Esteri si chiamava Aldo Moro, era informato di cosa stava succedendo e in puro stile democristiano non disse nulla garantendo un silenzio assenso che salvò 750 oppositori politici. Scrissero una pagina di eroismo civile, ma ogni volta che lo ricordo a Roberto lui mi guarda di traverso, sorridendo, e mi chiede: «Non avresti fatto lo stesso? Quando i militari misero un posto di guardia all'ingresso dell'ambasciata i ragazzi trovarono il modo per saltare il muro di cinta. Ogni notte avevamo nuovi ospiti, dovevamo forse negargli l'asilo e cacciarli fuori? Consegnarli alla polizia e a un destino tragico?».

Impotente di fronte a questo flusso, la polizia segreta una notte gettò oltre il muro il corpo di una ragazza uccisa dalle torture per poter diffondere la notizia che dentro l'ambasciata regnava l'illegalità e si moriva. La nostra diplomazia capì che il regime non avrebbe permesso più nessuna partenza. Roberto fu richiamato in Italia. È stato poi in Russia, negli Stati Uniti e ambasciatore in India e in Iran. L'ho conosciuto quando è andato in pensione e con la moglie ha scelto di vivere a Madrid, di assegnarsi una nuova sede dopo che per una vita era stata la Farnesina a decidere dove avrebbero abitato.

Ha scritto a lungo per «La Stampa» e poi per «la Repubblica», spiegando la politica estera e i diritti umani con una lucidità e una chiarezza non comuni.

Il 20 novembre 2017, alla vigilia del lancio del restyling di «Repubblica», mi accompagnò a intervistare il primo ministro spagnolo Mariano Rajoy, nei giorni della sfida catalana per l'indipendenza. Insieme a noi c'era Omero Ciai, il giornalista italiano che meglio conosce le dinamiche della Spagna e dell'America Latina. Ricordo che eravamo in largo anticipo e ci fecero sedere in un salotto del Palazzo della Moncloa. Omero tirò fuori la Leica, la macchina fotografica da cui non si separa mai, e rompendo il protocollo si mise a scattare. «Abbiamo tempo, vi faccio dei bei ritratti in bianco e nero, così ci restano per ricordo.»

Dopo l'intervista io corsi all'aeroporto, Omero invece accompagnò Roberto a casa. Nessuno immaginava che poche ore dopo la moglie lo avrebbe trovato riverso sul tappeto del salotto colpito da un'emorragia cerebrale. Si salvò e cominciò un lungo percorso di recupero. Sono tornato a trovarlo due volte, la prima quando era ancora in ospedale, la seconda appena tornato a casa.

Questa volta mi aspettano a pranzo, ho tempo per stare con loro, potrò anche permettermi il lusso di lasciare il telefono nella tasca del giubbotto. Roberto si è ripreso bene, la sua memoria è intatta, sentirlo raccontare come si vive a Teheran, dove sta andando l'India o di come si stia pacificando la società basca è un piacere. Francesca ha fatto le trofie al pesto, il suo piatto preferito, voleva fosse un giorno di festa.

Guardare com'è riuscito a riorganizzarsi la vita dopo essere andato in pensione e a rimettersi in piedi dopo la malattia è un vaccino contro la depressione.

Quando esco da casa loro mi sento più leggero e cammino fino al museo del Prado nel tepore di un'anticipata giornata primaverile che fa dimenticare di essere a febbraio. Mi fermo sotto la statua di Goya, mi siedo sugli scalini e cerco nel telefono le foto che ci fece Omero. Roberto sorride sornione dietro i baffi bianchi, io ho occhiaie profonde segno delle notti insonni spese a mettere a punto la grafica del giornale che stavamo per lanciare. Mi sembra passato un secolo, invece sono solo quindici mesi.

La Leica di Omero è da troppi mesi chiusa in un cassetto della sua scrivania di casa. Da quella notte al pronto soccorso di Ostia quando continuava a ripetermi di prendere lo zainetto con i documenti e la macchina fotografica, che altrimenti qualcuno l'avrebbe fregata.

Anche Omero ha avuto un ictus, sul volo che lo stava riportando a Roma da Città del Messico. Era andato a seguire le elezioni che per la prima volta nella storia hanno indicato come presidente un uomo di sinistra, poi si era spostato in Nicaragua per raccontare un paese che sta affondando nei deliri del suo presidente, l'ex guerrigliero sandinista Daniel Ortega. Il suo ultimo messaggio che trovo sul telefono dice che è finalmente arrivato a Managua e che fa un caldo pazzesco, le foto che mette su Instagram sono un inno ai venditori ambulanti di ananas e mango, l'unico modo per sfuggire all'afa.

Il ritorno a casa è una micidiale sequenza di voli, quando atterra a Fiumicino l'hostess si accorge che non riesce ad alzarsi, non è in grado di muovere la gamba sinistra e il braccio. L'ambulanza, subito chiamata, arriva sulla pista, il medico di turno dell'aeroporto capisce immediatamente la gravità della situazione e decide di trasportarlo con urgenza in ospedale. Poi accade una di quelle cose inspiegabili che distruggono la nostra fiducia nell'Italia: l'ambulanza, anziché andare verso uno dei tre centri di terapia neurovascolare che erano attivi quella sera a Roma, si dirige a Ostia.

Lo portano in un ospedale dove non esiste nessuna unità specializzata per intervenire. Resterà fermo su una barella per più di tre ore prima che un'altra ambulanza lo porti finalmente a Roma.

Ricordo la rabbia e l'impotenza di quella sera. Eravamo al giornale, avevamo appena fatto la prima pagina quando Silvia, la moglie di Omero che lavora anche lei a «Repubblica», mi dice che Omero non ha ritirato il bagaglio e non è uscito dall'aeroporto. Un amico lo ha aspettato invano fuori per un'ora. Scopriamo che è a Ostia. Corriamo all'ospedale, lo troviamo affaticato ma cosciente, una gamba però è immobile. Lì cominciamo a misurarci con la follia delle burocrazie, con l'inefficienza.

È chiaro che deve andare a Roma, ma non si trova un'ambulanza, passa un tempo infinito, mi sale l'angoscia, ricordo di aver letto da qualche parte che bisogna intervenire entro cinque ore, poi il danno diventa irreversibile. Non sappiamo quanto tempo prima dell'atterraggio abbia avuto l'ictus, quindi ogni minuto è cruciale. Invece tutto accade con una flemma criminale. Esco ad aspettare l'ambulanza, quando arriva non può parcheggiare all'ingresso perché è occupato da un altro mezzo. Entro a cercare l'autista affinché lo sposti al più presto. Finalmente lo caricano e si parte.

Li seguo con la macchina, arrivo prima di loro e li aspetto all'ingresso del pronto soccorso del San Camillo. Quando scaricano la barella, una delle gambe cede e Omero finisce per terra. L'infermiere, con il tono più normale del mondo, si giustifica: «Non ha idea da quanto tempo diciamo che andrebbe aggiustata».

Finalmente decidono di provare a operarlo. È notte fonda quando esce dalla chirurgia. Non riescono a salvargli la gamba e il braccio, ci sarà poi un'emorragia e inizia quella sera di luglio un calvario di operazioni, infezioni e terapia intensiva che durerà fino a Natale. Spesso ho temuto che non ce la facesse, invece Omero sopravvive. Accanto alla burocrazia cialtrona ho tempo per scoprire medici eccellenti e una sanità che cerca di dare il meglio di sé nonostante i tagli e regolamenti assurdi.

Sua moglie Silvia non lo lascia un istante, ogni giorno gli racconta cosa succede in Italia e nel mondo, anche nei mesi in cui il suo unico modo di comunicare sta tutto in una piccola stretta della mano destra.

Gli amici a turno vanno a dargli da mangiare, ognuno racconta, non resta mai solo. Forse è per questo che la prima volta che trova la forza di parlare mi racconta il suo Gabriel García Márquez, di quando alla festa per i suoi 79 anni a Cartagena, alla fine di una cena a base di zuppa di granchi, aragosta e whisky, gli disse che «nella vita non c'è niente di più bello che essere amati».

Conosco Omero da oltre vent'anni, è stato un amico prima che un collega, ho passato un sacco di tempo ad ascoltare i suoi scenari sul futuro di Cuba o del Cile, sui disastri economici argentini o il narcotraffico colombiano. Per prenderlo in giro lo chiamavo «il portinaio del Sud America», ha sempre passato la prima parte delle sue notti sveglio per scrivere o parlare con i suoi amici a Buenos Aires, Caracas, Miami, Rio o Santiago. È sempre stato aggiornato su ogni cosa, svolte politiche o pettegolezzi, monitorava lo stato di salute di Castro e Pinochet come fosse il loro medico e dormiva con il telefono acceso per non bucare la notizia della loro morte. I suoi ricordi sono nitidi, così come la lucidità delle sue analisi. Il corpo invece affronta una lotta quotidiana per recuperare mobilità, per provare a ritrovare una vita fuori dall'ospedale.

Aspettava da tempo di diventare inviato, ma nei tre anni in cui sono stato il suo direttore a «Repubblica» non l'ho mai nominato. Un giorno mi ha detto di aver sognato, mentre era in terapia intensiva, che l'avevo fatto. Per settimane si è chiesto se fosse vero o solo un sogno, finché una mattina ha chiesto a Silvia se davvero nel cassetto del comodino c'era la lettera di nomina. Me lo ha raccontato qualche settimana dopo e io gli ho spiegato che non gli avevo mai dato quell'incarico, anche se lo avrebbe meritato, perché poteva essere mal interpretato, come un regalo a un amico.

Poi, improvvisamente, una mattina la mia direzione a «Repubblica» si è conclusa.

La mia visione sul modo di fare il giornale e sul suo futuro era diversa da quella dell'editore. In questi casi è naturale che succeda e le voci di un cambio si rincorrevano da tempo, ma non me lo sarei aspettato in quel momento, al termine di una riorganizzazione che era stata molto dura e faticosa e prevedeva uscite e dolorosi tagli di stipendio.

Quella mattina mi sono svegliato tranquillo, dovevo incontrare il presidente del gruppo e pensavo sarebbe stato un caffè di routine come avveniva tutte le settimane. Mentre mi facevo la barba un dettaglio mi ha messo in allarme, per la prima volta l'appuntamento non era stato fissato con il consueto messaggino su WhatsApp ma comunicato in modo formale attraverso le segreterie. Pensai che era molto strano. Prima di uscire, quando ero davanti alla porta, la sensazione divenne una certezza, così tornai indietro per cambiarmi e mettere l'abito blu delle occasioni ufficiali.

L'incontro durò pochissimi minuti, non dissi quasi nulla perché non c'era nulla da dire, tale era il solco che si era scavato tra noi e il disinteresse che registravo per ogni mio progetto di innovazione.

Mi concentrai sulle cose che dovevo mettere in ordine prima di lasciare. Per la prima volta in più di vent'anni, e dopo dieci da direttore, le notizie e i ritmi del giornale non avrebbero più scandito le mie giornate. Questo mi avrebbe provocato per settimane un dolore fisico, una mancanza d'aria. Il telefono non squilla più ogni minuto, le mail da centinaia si riducono a una manciata, gli appuntamenti si diradano e capisci in fretta chi ti è amico davvero.

Bisogna reimparare a vivere a un altro ritmo, a respirare e a darsi un nuovo ordine e nuove priorità. Ho cominciato a camminare tanto, per aiutare la testa a disintossicarsi e ritrovare un filo dentro di me.

Ma prima di lasciare il giornale c'erano un'infinità di procedure burocratiche, i passaggi di consegne, tutti i libri da mettere nelle scatole e le carte da riordinare. Centinaia di cartelline che ho riempito per anni, documenti, quaderni di appunti. Per tre giorni ho fatto pulizia, buttare tutto ciò che non servirà più è un gesto terapeutico.

Restava un'unica cosa da fare, un ultimo gesto formale da direttore, una comunicazione a tutti i giornalisti: «Prima di passare il testimone ritengo necessario sanare una situazione che aspetta soluzione da molto tempo: Omero Ciai, a cui va la riconoscenza e l'affetto di tutto il giornale, viene nominato inviato speciale».

Spengo il computer. Adesso l'originale di questa comunicazione è finalmente nel comodino accanto al suo letto, serve a ricordargli chi è, cosa ha fatto e a dargli forza nei giorni neri in cui tutto sembra finito.

IV

La collina delle conchiglie

La mattina dopo di mia nonna è durata cent'anni. Un rimpianto lungo un secolo.

Le vigne perdute erano lo sfondo dei suoi racconti. Una volta spiegava che da bambina andava lì per cercare le conchiglie, un'altra che a fine estate raccoglieva le pesche per farle ripiene con il cioccolato e gli amaretti, ma soprattutto che ci saliva per prendere le ciliegie. «Per questo» diceva «la collina della mia infanzia si chiama Bricco delle Ciliegie.»

Quel nome l'avrò letto mille volte, era scritto sull'etichetta di un vino. Lo vedevo quando aprivo il suo frigo. La prima bottiglia gliel'aveva regalata, a metà degli anni Ottanta, sua cugina Elena, poi aveva preso l'abitudine di comprarne una decina di scatole ogni anno, non voleva mai rimanerne senza. Aveva metodo, un bicchiere ogni sera, sempre lo stesso vino, quello che suo nonno produceva già alla fine dell'Ottocento: Arneis bianco del Roero.

Lei il nonno Alberto, il produttore, non lo aveva mai conosciuto, era nata che lui era morto da quasi due anni. E anche le vigne erano già state portate via dalla banca quando lei le vide per la prima volta. Ma non importa, ha passato l'ultimo quarto di secolo della sua vita a pensare ogni sera a quel profumo di fiori che sentiva nel bicchiere, era il filo che la teneva saldamente legata alla sua storia, a tutti quelli che se ne erano andati.

L'ho vista l'ultima volta tre giorni prima della sua morte. Sono andato a trovarla a Milano. Aveva 94 anni, non si alzava più dal letto da una settimana ma il suo spirito era intatto ed era in pace con se stessa e con il mondo. Io ero tornato dall'America da poco meno di un mese per diventare direttore della «Stampa», e la cosa la rendeva particolarmente orgogliosa: «Anche tuo nonno lo sarebbe, torni nella città da cui siamo partiti sessant'anni fa e vai a dirigere la *Busiarda*, il giornale su cui abbiamo imparato a leggere da bambini».

Mi disse che dovevo andare a prendere il caffè nel bar di Torino in cui il nonno le aveva chiesto di sposarla il 5 gennaio 1937, nel giorno del suo ventiduesimo compleanno, di camminare lungo il Po nel Parco del Valentino e di portare le figlie a cercare le castagne matte sul Monte dei Cappuccini come faceva lei da bambina. Erano i suoi ricordi più cari.

Quando la salutai per andare via, disse con un tono di voce molto sicuro e quasi solenne: «Accanto alla porta troverai due quadri, te li ho fatti incartare perché devono tornare a casa. Appendili nel tuo ufficio, devono ricordarti che abbiamo la schiena dritta. Poi troverai una statua di bronzo e una busta, la prima è la gran coppa che mio nonno Alberto vinse a Londra nel 1909 per il suo vino, la seconda contiene la sua carta da lettere. Appena potrai vai a Montà, dove inizia il Roero, e cerca la famiglia Almondo, quelli che hanno oggi il Bricco delle Ciliegie. Racconta loro che ti mando io e, se ti riesce, magari un giorno, riporta a casa un pezzo di quella terra, un fazzoletto di quella collina. Io non ci sono mai riuscita».

La baciai, le tenni strette le mani per un po', poi lei sdrammatizzò quell'addio dicendo che dovevo convincere mia madre e le zie a smetterla di insistere perché mangiasse le zucchine che le avevano preparato. «Sono amare, ma non è la mia bocca e nemmeno colpa delle medicine, più semplicemente sono acerbe. Le zucchine non si mangiano a maggio» protestò con decisione. Poi sbuffò: «Nessuno sa più quali sono le verdure di stagione». Fu questa l'ultima cosa che le sentii dire mentre stavo uscendo.

Ho aperto la busta appena sono salito in macchina, conteneva solo un foglio scritto con caratteri Liberty. Al centro c'era il nome «Alberto Cavadore, produttore proprietario in Montà d'Alba», in cima la scritta «Vini Premiati, ingrosso e minuto», sotto l'indirizzo: «Bottiglieria in Torino, Corso Orbassano 73 (casa propria)». Tutto intorno ci sono i premi, una gran coppa vinta a Londra nel 1909, che riconosco essere quella che la nonna mi ha appena affidato, e poi medaglie vinte a Parigi e a Bologna all'Esposizione internazionale del 1909. Vorrei scoprire la storia, capire chi era, quando si spostò a Torino dalla campagna e perché perse tutte le vigne alla vigilia della prima guerra mondiale. Ci vorrebbe tempo per farlo, tempo e pazienza. Penso che un giorno ci riuscirò, intanto quella busta finisce nel primo cassetto della mia scrivania al giornale. Ci resterà per dieci anni.

Una promessa, però, la mantengo subito, quella di andare a visitare Montà e la famiglia Almondo. Arrivo da loro che stanno imbottigliando, un rito a cui partecipano tutti: gli anziani genitori Giovanni e Teresina, il figlio Domenico che guida l'azienda, sua moglie Antonella e i due nipoti maschi. Parliamo della nonna, mi raccontano che ogni anno quando chiamava per comprare il vino si faceva raccontare tutto del paese, come se fosse andata via da poco, invece non lo visitava da almeno trent'anni. Non oso chiedere delle vigne, ma prometto che tornerò presto.

E così faccio per anni, passo da Montà in ogni stagione, tutte le scuse sono buone. Una volta per la vendemmia, un'altra per comprare il vino, per presentare un libro o partecipare a una premiazione e in ogni occasione aggiungo una tessera al puzzle della memoria. Scopro dov'era la casa dei nonni, dove sono gli alberi di ciliegie e di pesche intorno alla vigna e la strada che facevano con il carro per portare il vino a Torino.

Mi innamoro di quella storia, la nostalgia di mia nonna diventa la mia e sento che devo portare a termine la missione che mi ha affidato nel nostro ultimo incontro. Allora scopro che la collina del Bricco delle Ciliegie non è tutta di Almondo, un lato è diviso tra nove lontani parenti della mia famiglia.

Una mattina d'inverno salgo a guardare com'è. Il cielo è terso e si vedono tutte le Alpi, di fronte si riconosce la sagoma del Monviso (quella che avrebbe ispirato il logo della casa cinematografica Paramount) e il silenzio è perfetto. Quel posto mi rapisce. Chiedo a Domenico Almondo come si fa, come posso contattare i lontani parenti e provare a comprare quei pezzetti di collina. Mi dice di lasciare fare a lui e di avere molta pazienza: «In campagna la gente non vuole mai separarsi dalla terra, vendere è quasi un disonore. Sai come si dice: quando uno vende, poi non è più suo. Ci vorrà molto tempo ma io andrò a trovarli e piano piano proverò a convincerli».

Mi impongo di non avere fretta, ma ogni due o tre mesi lo chiamo per avere notizie, le risposte sono quasi sempre le stesse: «Sono passato da questo o da quello la settimana scorsa, abbiamo preso il caffè, mi ha detto che ci sta pensando». A un certo punto temo che non accadrà mai, invece il giorno dei morti del 2015 Domenico mi chiama: «Mario, ce l'ho fatta, ne ho convinti otto, solo uno non ne vuole sapere, ma va benissimo così: gli otto spicchi che puoi avere, tutti insieme fanno un ettaro di vigna e sono in una posizione perfetta. Andiamo al più presto ad Alba per firmare».

Il 2 dicembre siamo tutti nella stanza del notaio, ci stiamo a malapena, è un rito lento e silenzioso, si devono fare otto atti separati e impieghiamo un sacco di tempo. I venditori hanno tutti lo stesso cognome, Taliano, che a me però allora non dice nulla. Loro invece sanno. Un'anziana signora prima di firmare mi dice: «Vendiamo a lei perché non è forestiero ma uno di famiglia, altrimenti la terra ce la saremmo tenuta». Mi emoziono e penso alla nonna, lei avrebbe da poco compiuto 100 anni e la vigna torna a casa esattamente un secolo dopo che è stata persa. Usciamo nella nebbia, Domenico ha pronta una bottiglia di Arneis per brindare, mi spiega che bisogna ripiantare la vigna e che ci vorranno almeno quattro anni per avere il primo vino. Non mi interessa, non è una questione di bottiglie, di etichette e nemmeno di tempo. Era solo una questione privata, era l'ultima cosa che mi aveva chiesto e non potevo deluderla e poi, se si è aspettato un secolo, cosa saranno mai quattro anni.

La scrivania era cambiata, da Torino mi ero spostato a Roma, ma la busta è rimasta sempre nel primo cassetto. Devo svuotare l'ufficio, sono stanco, arrabbiato, non ho nessuna voglia di fare gli scatoloni e soprattutto non so dove metterli, perché questa volta non ho un posto in cui mandarli, non mi aspetta un nuovo lavoro. Butterei via tutto, ma anche per buttare ci vogliono tempo e pazienza. Con questo umore apro il primo cassetto e mi capita tra le mani la busta. Mi illumino, mi sembra un segno. La metto in tasca e penso che ho trovato il mio nuovo lavoro: andare sulle tracce della storia e finalmente ricostruire tutto.

Ho solo un quaderno di appunti, sono i racconti che la nonna mi fece nell'agosto 2003. Andai a trovarla in montagna e rimasi con lei per una settimana. Ogni pomeriggio ci sedevamo in balcone, con la vista sul Monte Bianco, e lei mi raccontava la sua vita. Lo aveva già fatto dieci anni prima ma in modo non completo e sistematico. Questa volta però ha 88 anni ed entrambi non sappiamo quante altre occasioni ci saranno. Ci tiene a dirmi tutto. È talmente dettagliata che mi descrive anche il pranzo tipico della domenica che ha cucinato per quarant'anni, dal 1946 a quando è rimasta vedova. Sono tutti piatti della tradizione piemontese, dalla bagna càuda al vitello tonnato, dal risotto con i funghi o gli asparagi al brasato, fino al suo dolce preferito, le famose pesche al forno ripiene con cioccolato e amaretti.

Per divertirci decidiamo che lei farà il menù tipo e io la filmerò. Le dico che posso fare un video per i suoi ventuno nipoti, lei è contenta ma anche un po' imbarazzata, così mi dice di regalarlo a tutti a Natale quando lei non ci sarà più.

Il racconto dice che suo nonno Alberto che produceva il vino a Montà lasciò la campagna per andare a Torino quando sua figlia Maria, detta Marietta (la mamma di mia nonna), aveva un anno, che aprì una mescita con cucina lungo il Po di fronte alla fabbrica della Diatto, che costruiva carrozze per treni e tram, e lì rimase per una ventina d'anni. Poi seppe che la Diatto si sarebbe spostata ed ebbe la lungimiranza di investire tutti i suoi risparmi per costruire una casa di fronte alla nuova fabbrica. Al piano terra ci sarebbe stata la bottiglieria, nelle cantine lo spazio per le botti di vino e al primo piano l'abitazione.

Questa è la «casa di proprietà» indicata nella carta da lettere. Diventò un vero e proprio ristorante, la moglie Rosa faceva la cuoca, la figlia Maria ormai ventenne lavorava in sala, dove avrebbe conosciuto il futuro marito, e le vigne aumentarono. Il fattore, a cui aveva lasciato la gestione della terra, decise di comprarsi una cascina ma non aveva i fondi necessari, allora Alberto andò in banca a garantire per lui, firmando una fideiussione.

Le cose andavano a gonfie vele, cominciò a partecipare a concorsi e fiere e a vincere premi con il suo vino: aveva raggiunto la posizione che aveva sognato. Invece il 24 febbraio 1913, a soli 52 anni, muore in cantina mentre sta imbottigliando il vino. È un martedì mattina e con lui c'è solo la figlia Maria. Le dice che ha un dolore al petto, di salire e chiamare un medico, ma quando lei torna giù, per Alberto è ormai troppo tardi, spirerà tra le sue braccia.

Dopo la morte il fattore smette di pagare le cambiali, non sapremo mai se per bisogno o per dolo, ma sappiamo che la banca si rivale sulle vigne e le porta via. Nasce così il grande rimpianto e la nostalgia per la terra perduta.

Adesso ho il quaderno, la busta e finalmente ho tempo per ricostruire la storia. Il viaggio parte una mattina dalla chiesa di Sant'Antonio Abate a Montà. Io non saprei dove mettere le mani, non ho mai frequentato un archivio parrocchiale, ma so che è lì che il passato ci parla. Il viaggio alla ricerca delle radici lo faccio insieme al maestro elementare del paese, si chiama Silvano Valsania, ha fatto anche il sindaco ed è la memoria vivente di questo territorio. Lui sa dove abita ogni storia.

La storia che mi interessa è quella della vigna e di quel nonno che mia nonna non aveva mai conosciuto ma di cui ha parlato tutta la vita. Ma lo stato delle anime dell'archivio parrocchiale è talmente interessante e la curiosità forte che voglio andare ancora più indietro. Non pensavo però di arrivare al Seicento. Il pezzo di collina che ho comprato ha un nome strano, Caialupo, Silvano mi dice che nulla è per caso e che vale la pena di andare a guardare nel libro dei morti. Scopriamo che il 29 luglio 1619 nella parte di collina dove c'è ancora il bosco una bambina di 10 anni di nome Margarita «fu uccisa et devorata dal lupo», come scrive il parroco nell'atto di morte. Quel nome, Caialupo, allora suona come un esorcismo, come un insulto al lupo perché sia cacciato. Erano tempi di paure, di credenze e di streghe, o come le chiamavano da quelle parti «masche». Dieci anni dopo il lupo, una donna del paese accusata di malefici morì di torture nei sotterranei del castello.

Una mattina se ne va a parlare di storie antiche, poi Silvano tira fuori l'atto di nascita di Alberto: «Nell'anno del Signore mille ottocento sessantuno è stato presentato alla Chiesa un fanciullo di sesso mascolino nato il diciotto del mese di aprile alle ore nove di sera figlio di Carlo Cavadore fu Giovanni di professione carrettiere e di Maria Taliano, cui fu amministrato il Battesimo da me Parroco sottoscritto». Taliano! Ecco il cognome di quelle otto persone con cui ero seduto nello studio del notaio. Vado a cercare l'atto di matrimonio tra i due e trovo che il 1° maggio 1852 Carlo si sposa con Maria Taliano, che ha solo 20 anni e firma con una croce perché dichiara di «non saper sottoscrivere». Adesso so che il padre era carrettiere e la mamma analfabeta, e capisco perché i Taliano che mi hanno venduto la vigna dicevano che ero di famiglia. La memoria contadina è profonda e un incrocio, anche se avvenuto un secolo e mezzo prima, non viene dimenticato.

Carlo e Maria avranno quattro figli, Alberto, il protagonista della nostra storia è il terzo. Il fratello maggiore, Giovanni, andrà a fare il fabbro a Nizza per poi tornare come meccanico a Torino sul finire del secolo; il secondo, che si chiama Carlo come il padre, avrà una vita travagliata che ci racconta una precarietà dell'esistenza che noi oggi abbiamo dimenticato: si sposa quando ha 33 anni con una ragazza di 21 anni, Margherita, le nozze si tengono a gennaio ma lei il 31 agosto muore. Dopo pochi anni, il vedovo Carlo sposa la sorella minore di Margherita, che si chiama Gioanna. Avranno sei figli, quando nasce la quarta decidono di chiamarla Margherita per ricordare la prima moglie, che poi era la sorella della mamma. Ma un destino crudele si accanisce e la bambina muore dopo aver compiuto un anno.

Tre anni dopo la coppia ci riprova, arriva un'altra bambina e insistono con Margherita, vivrà poche settimane. Nel 1915, quando la prima guerra mondiale sta per scoppiare e il padre ha ormai 57 anni e la madre 43, arriva inattesa la sesta figlia, la chiameranno ancora Margherita. Sopravvivera novantaquattro anni e oggi a raccontarmi la storia è suo figlio Niculin. Ma le preoccupazioni, per questo Carlo, non sono finite, il suo terzo figlio ha il vizio del gioco e nel 1925 perde a carte le mule di famiglia e un carico di vino. Perde così tanto che il padre è costretto a dar fondo ai risparmi: serviranno 18.000 lire, il valore di un'automobile di media cilindrata in tempi in cui pochissimi se le potevano permettere, per riscattarlo e riportarlo a casa.

Ma torniamo al nostro Alberto. Nell'archivio comunale si racconta come divida prima la terra con i suoi fratelli e poi riesca a comprare una seconda vigna. Si mette a produrre Arneis, un vitigno coltivato sulle colline del Roero già nel Quattrocento, ma per secoli vinificato dolce. Lui comincia a farlo secco, come vino da pasto, e questa è la sua fortuna.

Si sposa con Rosa Gallarato nel febbraio 1887, nell'atto di matrimonio, che si svolge nel comune di Santo Stefano Roero di fronte all'ufficiale di stato civile e non al prete, risultano entrambi agricoltori, avranno otto figli, sei femmine e due maschi.

Dopo la nascita della prima figlia emigra a Torino, erano solo quaranta chilometri di strada ma allora erano almeno cinque ore di carretto trainato dal cavallo e poi il salto culturale dalla campagna alla città era immenso.

Per proseguire il viaggio, le carte della parrocchia non mi sono più di aiuto. Inizia una nuova tappa della caccia al tesoro. Il primo posto dove andare è l'Archivio Storico della città di Torino, un luogo prezioso, uno degli archivi comunali più importanti d'Europa: ventimila metri lineari di carte che coprono mille anni di Storia. Ma il vero patrimonio sono le ricercatrici e le archiviste, ti interrogano sulla tua ricerca e poi ti indicano dove guardare, per loro il passato è presente, ogni cosa è viva e ogni carta ci parla.

Mentre aspetto il mio turno osservo un anziano argentino di origini italiane che è tornato per la prima volta nel paese dei suoi antenati. Si chiama Carlos e ha 77 anni, è venuto per cercare tracce di suo nonno Mario, che emigrò bambino in Sud America insieme ai genitori. Sa che il bisnonno era un ufficiale dell'esercito regio e ha con sé un foglio su cui a penna ha ricostruito l'albero genealogico della famiglia. In meno di due ore gli trovano due documenti, l'atto di nascita del padre e una carta relativa al nonno. Li stringe in mano felice e si commuove.

Viene il mio turno. La prima cosa che trovo è una scheda anagrafica del 1892, ormai sbiadita tanto che riesco a leggerla solo con la lente d'ingrandimento, in cui Alberto Cavadore è definito spedizioniere e carrettiere. Non ha ancora aperto il negozio e non ha la dignità del commerciante, è in quel momento che inizia la sua partita per conquistarsi un ruolo nella città. So che apre la bottiglieria, il quaderno mi dice che il primo negozio che Alberto avviò a Torino era davanti alla fabbrica della Diatto, sul fiume, e la nonna aveva aggiunto che a quel tempo sul Po c'erano ancora i lavandai.

Lo racconto a una delle archiviste, Anna Maria Stratta, lei mi dice che ha bisogno di un giorno e poi fa il miracolo. Tra oltre due milioni di lastre e fotografie catalogate al quarto piano del palazzo nel centro di Torino tira fuori esattamente la foto che cercavo: si vede la sponda destra del fiume e sotto il Monte dei Cappuccini le

Officine Diatto con l'insegna sul tetto, di fronte i panni stesi dalle lavandaie. Ecco l'immagine che aveva in testa mia nonna, lei non l'aveva mai vista, ma aveva dato corpo ai racconti di sua madre, io la sto guardando. Quindi la mescita del vino era in Corso Moncalieri.

Cosa fare adesso? Per andare avanti serve la Guida Marzorati-Paravia di Torino, ne pubblicavano una all'anno, è una vera miniera di dati, contiene l'elenco di tutti i proprietari delle case, dei professionisti e dei commercianti, le tariffe di ogni bene e servizio, la disposizione dei mercati, perfino la composizione delle famiglie nobili e delle amministrazioni militari e civili. Con l'inizio del Novecento si aggiungeranno i nomi di tutti i possessori di automobili (le targhe emesse erano 1340) e degli abbonati al telefono.

Sfogliarla è un viaggio in un mondo che nemmeno immaginiamo, ancora nel 1909 nel centro della città, dove oggi ci sono le vie dello shopping, gli studi di avvocati e commercialisti, c'erano l'Ammazzatoio pubblico (il macello) e la Stazione di Monta Equina, i lavatoi, la pesa e i cessi pubblici (farsi una doccia costava 10 centesimi); c'erano gli spazzacamini e i vuotacessi, si affittavano le barche sul Po (un'ora senza rematore costava una lira, si risaliva la corrente alla ricerca di piccole spiagge dove fare il picnic) ed era pieno di negozi di macchine da cucire e di macchine da scrivere (le americane Remington e Underwood la facevano da padrone).

Sulla guida sono indicate perfino le redazioni di tutti i giornali che venivano stampati allora con l'elenco e i nomi dei giornalisti. «La Stampa», che era diretta da Alfredo Frassati, aveva una redazione snella: un vicedirettore, undici redattori, tra cui due cronisti sportivi e uno giudiziario, un critico musicale, uno letterario e uno drammatico. Quindici persone in tutto. Esattamente cento anni dopo, quando mi sarei seduto io sulla sedia di Frassati, i giornalisti erano diventati duecentocinquanta. Non mancavano anche allora le pubblicazioni di costume, oggi diremmo di gossip, la più nota era «Il Venerdì della Contessa», che si definiva «gazzettino mondano, artistico, sportivo, letterario, illustrato» e usciva tre volte alla settimana. Di ogni giornalista la guida forniva anche l'indirizzo di casa, non voglio immaginare cosa succederebbe oggi.

Alla voce «Dettaglianti (Bottiglierie)» trovo finalmente il nostro Alberto Cavadore, l'indirizzo è via Moncalieri 19, esattamente come suggerito dalla fotografia.

Poi si ingrandisce e, come mi indica la guida del 1911, si trasferisce in Corso Orbassano 71, dove è indicato come proprietario del negozio di vino e della casa che ha un ingresso anche in Corso Parigi. Vuole fare il grande salto: ha sentito dalle chiacchiere a tavola che la fabbrica della Diatto si sposterà e allora gioca d'anticipo, costruisce la casa con il negozio e la cantina, e quando il nuovo stabilimento apre, lui è già lì pronto a dar da mangiare e bere a tutti.

Voglio andare a vedere se la casa c'è ancora, ma l'intestazione indicata nella carta da lettere è ingannevole, cerco l'indirizzo sulle mappe di Google e mi trovo fuori Torino, allo svincolo d'ingresso della tangenziale, oltre i vecchi stabilimenti di Mirafiori. Mia nonna aveva lasciato scritti dei nomi, ma aumentano solo la mia confusione. In un secolo, infatti, la toponomastica è cambiata più volte, quella di Alberto Cavadore era la città del Regno sabaudo, poi i nomi delle vie sono mutati una prima volta sotto il fascismo e poi di nuovo nel dopoguerra con la Repubblica.

Io sto cercando Corso Parigi, ma nelle vecchie cartine dell'epoca fascista lo trovo come Corso Vinzaglio, dal nome di un comune novarese in cui nel 1859 si combatté una battaglia della seconda guerra d'indipendenza. Solo dopo un lungo lavoro di comparazione scopro che oggi è Corso Carlo e Nello Rosselli. Il fascismo voleva cancellare Parigi ma la storia si è presa la sua rivincita e ci ricorda i due fratelli uccisi in Francia dai fascisti nel 1937. Ho individuato una delle due vie ma non fa mai angolo con Corso Orbassano.

Nel quaderno trovo un dettaglio: la casa è su un angolo ma non c'è spigolo, ha tre facce. Basta con le ricerche virtuali, vado a cercarla di persona: cammino lungo tutto Corso Rosselli e solo quando arrivo al fondo, sull'angolo, c'è una casa con la facciata che descriveva mia nonna.

Alzo gli occhi e sull'insegna stradale leggo «Corso Alcide De Gasperi», sotto, tra parentesi e in caratteri più piccoli, c'è scritto: «Già Corso Orbassano». Eccola la casa, esiste ancora, al posto del vino oggi vendono gelati.

Scopro anche che questa casa si trovava, per poche decine di metri, fuori dalla cinta daziaria. Per introdurre qualunque bene di consumo all'interno della città bisognava pagare una tassa e le tariffe erano onerose e variabili: su ogni ettolitro di vino comune si dovevano pagare 10,80 lire. Grazie alla posizione della casa, le damigiane che Alberto porta da Montà sono esentasse. Ma la festa non dura molto, come sappiamo lui muore e le vigne se ne vanno. La moglie Rosa allora trasforma il negozio, ne fa un semplice emporio.

La sorte, però, si accanisce su questa donna minuta, con gli occhi chiari. Nel 1918 il mondo è sconvolto non solo dalla prima guerra mondiale ma anche dalla più terribile pandemia che abbia colpito l'Europa dopo la peste nera del Seicento: l'Influenza spagnola, che farà da sola più morti del conflitto armato. A Torino arrivò in autunno e colpì in modo tanto violento da segnare indelebilmente la memoria e la storia delle famiglie, in ottobre si contavano quattrocento vittime al giorno. Fu in quel mese che Rosa, che allora aveva 54 anni, perse quattro figlie in poche settimane. Mi chiedo come abbia fatto a sopravvivere, troppe «mattine dopo» in un tempo brevissimo, troppo dolore. Mi rispondo che forse solo una diversa percezione della vita e della morte, una sorta di fatalismo, poteva permettere di sopportare ciò che oggi non è immaginabile.

Anche il fattore, quello che non aveva pagato le cambiali, morirà in quei giorni e la moglie poco dopo si ammalerà. Per molti anni erano stati amici e Rosa, quando viene a sapere che i bambini sono abbandonati a loro stessi, tornerà al paese per accudirla.

Ora che la storia è ricostruita capisco perché la memoria era agrodolce, mescolava nostalgia e dolore e mancava il lieto fine. Per anni mia nonna ha addolcito tutto con quel bicchiere di vino ogni sera.

Restava ancora un piccolo dettaglio, quello della bambina che andava in vigna a cercare le conchiglie, non riuscivo a capire come fosse possibile. Ogni volta che lo sentivo da piccolo chiedevo alla nonna se le vigne fossero sulla spiaggia, di fronte al mare, ma lei rispondeva che erano in collina e io non capivo. Mi sembrava una cosa impossibile e pensavo con fastidio che mi prendesse in giro.

Ne parlo con Silvano, il maestro di Montà, e lui non si stupisce, anzi mi mostra le carte delle ere geologiche. Mi spiega che venti milioni di anni fa dove oggi ci sono le Langhe c'era il mare, poi cominciarono a emergere le prime terre e cinque milioni di anni fa il Monferrato divenne un'isola e le Langhe una penisola. Ci vollero altri tre milioni di anni per far emergere anche il Roero, solo allora tutto il territorio risalì e il mare padano smise di esistere. Per questo nelle zone più giovani, come quella della vigna, la terra è fatta di calcare, argilla e sabbia e piena di fossili. Lascio Silvano e corro da Domenico, nella sua nuova meravigliosa cantina, gli chiedo a bruciapelo se quando ha piantato le nuove vigne abbia trovato delle conchiglie. «Certo,» mi risponde tranquillo «si trovano sempre, il terreno sabbioso è pieno.» Poi appoggia sul tavolo una scatola di conchiglie, ci sono anche due ostriche fossili, hanno milioni di anni ma erano ancora lì. Anche questo ricordo si incastra magicamente e tutto mi parla con dolcezza.

All'inizio di maggio torno in cantina per aiutare a imbottigliare il primo vino di quella vigna perduta e ritrovata, della vigna del lupo, delle ciliegie, delle pesche, delle conchiglie e del nonno Alberto. Sono passati esattamente dieci anni da quel pomeriggio in cui la nonna mi diede le sue ultime istruzioni. Assaggio il vino dalla botte, profuma di fiori. Ce l'ho fatta. Tutto è andato a posto, la storia è ricostruita, la terra è tornata a casa.

V

Fiorirà l'albero

Ci abbiamo messo più di tre anni prima di riaprire quella porta. Il suo studio era rimasto esattamente quello dell'ultima volta in cui ci aveva messo piede.

C'era andato all'inizio di dicembre per provare a dipingere, per provare a scrivere. Non ci riusciva più e lo sapeva, e questo gli aveva tolto l'antidoto alla sofferenza. La pittura e la poesia erano state la sua salvezza, gli avevano permesso di sopportare un Parkinson che lo accompagnava da oltre tredici anni.

Aveva imparato a conviverci con coraggio, circondato dai foglietti che gli ricordavano i nove appuntamenti con le 16 pastiglie di 8 medicinali diversi che prendeva ogni giorno. In studio aveva anche due sveglie che intimavano l'ora limite per affrontare il ritorno a casa. L'unica volta che se ne dimenticò o forse si era lasciato prendere dalla voglia di provare a scrivere ancora un verso, il suo corpo si spense sull'autobus. Arrivò al capolinea, al cimitero di Musocco. Non sappiamo come fece ma si trascinò giù. Non aveva più forze e si sdraiò sul marciapiede. Qualcuno lo vide e notò che aveva la giacca, la cravatta e che le mani, sporche di colore, stringevano una cartella di pelle marrone di buona qualità. Chiamarono un'ambulanza. Mia madre lo andò a prendere in ospedale e lui promise che non sarebbe successo mai più. Non voleva badanti, voleva continuare a prendere il suo autobus, passare al bar e vivere libero fino alla fine. Mise una sedia a sdraio in quella piccola stanza che era il suo studio, oltre il Parco di Trenno a Milano. Cosciente dei momenti di off, quelli in cui le sue braccia e le sue gambe si irrigidivano, li anticipava e andava a sdraiarsi. Restava immobile con pazienza, aspettando che le medicine facessero di nuovo il loro effetto.

Penso che mia madre non volesse aprire quella porta perché sapeva che così facendo l'avrebbe chiusa per sempre. L'ultimo a esserci entrato era stato lui: ogni oggetto era nella posizione in cui l'aveva lasciato, i pennelli ormai seccati, i tubetti del colore, la stufa, perfino le mandate della serratura erano state le sue. Il suo equilibrio era intatto. C'era una sola possibilità di entrare e sentire che lui era lì, poi tutto sarebbe svanito e ogni cosa avrebbe perso la sua magia e riacquistato pesantezza e realtà.

Ricordo mia nonna, nei mesi successivi alla morte del nonno, aprire il suo cassetto e annusare i fazzoletti che lui metteva nel taschino della giacca. Un giorno mi fece provare e io venni invaso dalla nostalgia: lui era ancora lì. Qualche settimana dopo le chiesi se potevamo rifarlo e lei mi disse di no, perché ogni volta che si apriva il cassetto un po' di profumo svaniva e voleva che durasse il più a lungo possibile. Avrebbe potuto annusare direttamente quella lozione inglese che il nonno metteva sul fazzoletto e sui capelli quando li pettinava, avrebbe potuto spruzzarne un po' nel cassetto, su quei triangoli di lino e di cotone su cui erano ricamate le sue iniziali, ma sapeva che non sarebbe stato giusto. Quel profumo aveva un valore speciale perché lo aveva avuto addosso lui.

Così lo studio di Tonino, il mio padre adottivo, rimase chiuso per 39 mesi. Aspettando che mia madre trovasse il coraggio e io il tempo. Il tempo di fare le cose per bene. Adesso il tempo lo avevo, così l'ho chiamata e le ho chiesto se se la sentiva di andare allo studio. Lo abbiamo fatto un sabato mattina. Prima abbiamo fatto una passeggiata con il cane, poi siamo andati in pasticceria a fare colazione, alla fine siamo arrivati sotto quella casa di ringhiera che per così tanto tempo era stata un'isola felice di creatività. Abbiamo scaricato gli scatoloni vuoti, il sacchetto con le forbici e lo scotch e quello con le spugnette, gli stracci e i prodotti per pulire.

Siamo saliti con tutto il nostro materiale e davanti alla porta, dipinta di verde, si è accorta di aver dimenticato le chiavi. Abbiamo rimesso tutto in macchina e siamo tornati a casa. Al secondo tentativo siamo entrati. Abbiamo attaccato la corrente, la staccava sempre prima di uscire, poi io ho aperto le imposte. Lei è rimasta immobile a guardare.

Di fronte ai suoi occhi c'era il cavalletto con due tubetti aperti, il bianco e il fucsia. Una tela con dei segni incomprensibili. E una poesia, attaccata alla libreria. Una poesia che Tonino aveva scritto il 22 novembre 2003 e che sembrava aspettarci, si intitolava *Fiorirà*. L'aveva composta con la macchina da scrivere e diceva:

Ancora
e ancora
fiorirà l'albero.

Questo
soltanto
voglio sapere,
di fronte
al finale,
sommesso splendore,
di tutte queste
foglie cadenti.

Mia madre non si muoveva, mi ha chiesto di scattare delle foto con il telefono, per farle vedere ai fratelli e per ricordarsi come Tonino aveva lasciato le cose. Poi ha respirato a fondo e mi ha chiesto da dove pensavo fosse meglio partire. Abbiamo cominciato con le cartelline dell'archivio, dieci cassetti pieni di carta e di polvere. Dieci cassetti di ricordi felici. Un viaggio meraviglioso tra foto in bianco e nero, ritagli di giornale che iniziano negli anni Settanta e raccontano i progetti di una vita con i bambini, guidati dalla stella polare della creatività.

Mia madre ha resistito per oltre tre ore, poi le è andata via la vista, un attacco di emicrania. Ha preso una pastiglia e si è seduta su quella sedia a sdraio che proteggeva lui e ora accoglieva lei e il suo dolore.

Quando le è passata, mi ha detto che non riesce a dimenticare la telefonata che le fecero dall'ospedale: «Era una dottoressa e con un tono burocratico ha detto soltanto: "Il signor Milite è deceduto". Il mio cervello si era fermato e si rifiutava di capire e mi chiedevo: "Cosa vuol dire deceduto?". Così, capisci, me l'hanno detto così. Io lo avevo salutato la sera prima e se avessi saputo sarei rimasta accanto al suo letto. Ma come potevo immaginare?».

Eppure lui ce lo aveva detto, ci aveva fatto capire che sentiva la fine del suo tempo. A ripensarci i segni c'erano tutti, i passi di un congedo cominciato durante l'estate. L'ultima estate, quella in cui non era riuscito a dipingere nulla e nemmeno a comporre una poesia. Il tratto del pennello e quello della penna erano diventati incomprensibili. Anche a lui. Se ne rendeva conto e senza quella passione che lo teneva legato alla vita, la malattia che lo aveva consumato diventava insopportabile.

Alla fine di giugno mi telefonò e capii a fatica, le sue parole erano sempre più incerte e ingarbugliate, che voleva che organizzassi una visita dal Bellolio.

Giovanni Bellolio era un contadino ligure che produceva olio e vino per consumo familiare. Viveva a Framura, un paesino dove dalla montagna vedi il mare, in cui arrivammo per caso quando noi figli eravamo bambini. Tonino si innamorò di quella genuinità e convinse il timido Giovanni a vendercene un po', così per trent'anni tornammo ogni primavera per fare rifornimenti. Riempivamo due damigiane di un vino giovane e aspro e una dozzina di bottiglie di olio. Il viaggio prevedeva sempre lo stesso rito: si andava dal macellaio che preparava dei panini al salame, poi si scendeva in cantina e si assaggiava il vino nuovo. Un sorso anche ai bambini. Seguiva la foto di rito di fronte alla vigna. Giovanni Bellolio sorrideva sempre e teneva le braccia incrociate.

Pensavo che quel momento magico potesse durare all'infinito. Era un quadretto così perfetto e rassicurante che niente sembrava in grado di incrinarlo. Il primo a scomparire dalla foto fu proprio il signor Bellolio. Ma la tradizione non si fermò e nelle foto apparve il figlio Mauro, che lavorava all'Enel ma nel tempo libero portava avanti l'eredità paterna. Poi Tonino si ammalò, non riusciva più a guidare e i medici dissero che il vino era da evitare. Le foto si fecero più rare, ma il ricordo rimase uno dei più belli.

Voleva tornare ad assaggiare il vino, a salutare Mauro, il macellaio e il panorama. Voleva che organizzassi tutto e che ci fossero anche i miei fratelli. Mi tormentò di telefonate quotidiane, che non smisero nemmeno quando lo rassicurai che ci aspettavano l'ultimo sabato di luglio. Il macellaio era chiuso ma ci prepararono un pranzo ligure indimenticabile, con i ripieni, la torta pasqualina, i pansotti e il vino. Non mancò la foto, Tonino cerca di sorridere e alza la mano come se volesse salutare. Al ritorno si addormentò in macchina.

A settembre mi disse che sarebbe voluto tornare a Lucca, la città della sua giovinezza, dove era diventato pittore e dove c'erano gli amici più cari. Voleva salutare tutti e di nuovo mi chiese senza sosta di organizzare. Scegliemmo l'ultimo fine settimana di novembre. Il venerdì sera andammo a cena al ristorante, e anche se da anni la carne gli era stata vietata, mangiò la bistecca alla fiorentina e brindò con il Chianti. La mattina trovò il bar dove andava da ragazzo e volle fare la colazione come allora con il budino di riso, un dolce tipico toscano, poi riuscì a fare una lunga passeggiata e portò mia madre dal gioielliere, voleva a tutti i costi farle un regalo, ma lei disse che mancava poco a Natale e non voleva farlo spendere.

Di quel momento mi resta una foto della torre medievale Guinigi, famosa per avere in cima un giardino alberato con sette lecci. Diceva che era la sua preferita e mi raccontò per la centesima volta di quando da pittore squattrinato aveva vissuto in una torre senza riscaldamento e senza bagno. Mangiava in una trattoria che pagava con nature morte a olio. Quella mattina aveva un'energia che sembrava aver perso da anni. A pranzo intorno al tavolo c'erano gli amici storici, raccontarono le storie dei loro vent'anni e si commosse. Tornò a Milano felice.

Una settimana dopo era in ospedale, la situazione era precipitata all'improvviso, non riusciva più a deglutire e parlava a fatica. Ci rimase meno di tre giorni. Come era potuto succedere tutto così all'improvviso?

Il suo medico disse che a Lucca aveva raccolto tutte le energie che gli erano rimaste e poi era crollato, come una stella che si fa più luminosa prima della fine o come la sua pianta preferita, l'agave, che fiorisce una sola volta prima di morire.

Noi non avevamo voluto capirlo ma lui lo sapeva. Quando arrivai in ospedale era su una sedia a rotelle, con una faccia serissima, mi guardò fisso e con una fatica terribile mi chiese: «Pensi che io sia uno stronzo?». Credevo di non aver capito, gli chiesi cosa stesse dicendo e lui lo ripeté. Aggiunse solo: «Me lo hai detto questa estate».

Allora mi ricordai di quella sera al mare in cui una delle nipoti non gli dava tregua suonando una trombetta, lui a un certo punto gliela prese e la buttò via. La bimba piangeva e io gli dissi che non me lo sarei mai aspettato da uno che aveva fatto l'insegnante elementare e lavorato con i bambini per tutta la vita, che era un comportamento da stronzi. Allora non disse niente, pensavo non mi avesse nemmeno sentito. Ripeté ancora la domanda per la terza volta. Gli risposi di no, che non lo avevo mai pensato e che mi scusavo con lui. Lo baciai e prima che andassi via disse le ultime parole: «Adesso siamo in pace». Si era congedato.

A casa, in una cartellina, aveva lasciato quattro vecchi disegni a cui aveva aggiunto una dedica per ogni figlio. Sulla cartellina aveva scritto: «Per Natale».

Quando mia madre è rimasta vedova, il 7 dicembre 2015, pensavamo che avrebbe trovato la forza: chi meglio di lei, che aveva perso il primo marito, mio padre, a soli 25 anni, sapeva dove cercare le risorse per restare in piedi, per consolare gli altri, per sopportare il dolore. Invece crollò. Per la prima volta nella sua vita smise di alzarsi dal letto la mattina, di avere una buona parola per tutti.

Ogni discorso, quelle frasi che le avevamo sentito pronunciare un sacco di volte sulla necessità di avere fede, di andare avanti, di ricordare con amore, sembrava inutile. Era convinta che non le sarebbe successo una seconda volta nella vita, che aveva già pagato un prezzo troppo alto, e quando Tonino si ammalò lo accettò senza rabbia e senza lamentarsi. Poi era sopravvissuto anche a un tumore al polmone, ma che se ne fosse andato all'improvviso non lo poteva accettare.

Smise di cucinare e cominciò a dimagrire. Ogni parola suonava inutile.

Mio fratello Uber, unico figlio di mia madre e Tonino, un giorno si presentò da lei con un cucciolo di golden retriever, due ciotole, un guinzaglio e un bustone di crocchette. Lei, che non aveva mai nemmeno lontanamente pensato di avere un cane, chiese fredda: «Cosa devo farci e come si fa?». «Si chiama Milo e te ne devi prendere cura» le rispose Uber e cominciò a spiegarle come tenerlo.

Qualche settimana dopo andai a trovarla e mi fermai a dormire. Spensi la luce e mentre mi stavo addormentando sentii la voce di mia madre che canticchiava la ninnananna che aveva usato con tutti noi da bambini. Mi rialzai stupito e andai in salotto. La trovai seduta per terra che faceva le carezze a Milo e provava a farlo addormentate. Non potevo credere ai miei occhi: «Mamma è un cane, mica un bambino». «Lo so, ma come si fa a addormentare un cane? Io ho avuto solo bambini.»

Qualche giorno dopo sbuffando si sfogò al telefono: «È troppo impegnativo, lo devo portare fuori tre volte al giorno, non lo posso lasciare troppo solo e la mattina se alle 8 non mi sono alzata inizia a battere con la zampa sulla porta perché vuole uscire e poi mangiare. Mi tocca alzarmi e vestirmi subito». Poi rimase in silenzio un attimo e con un filo di ironia aggiunse: «Non mi lascia nemmeno il tempo per piangere!».

Il cane le riorganizzò la quotidianità ma non l'umore. Navigava in un mare che non era mai stato il suo: grigio, triste, alcune mattine plumbeo. Non era più la stessa. Poi un giorno cadde.

Stava camminando nella piazza di Gressoney, in Valle d'Aosta, era una mattina di sole di metà agosto, sentì girare la testa, fece appena in tempo a dire «Aiutatemi» e svenne, cadendo all'indietro a corpo morto. Rimase a terra senza conoscenza, perdeva sangue da un orecchio, venne portata all'ospedale di Aosta con l'elicottero del soccorso alpino. La caduta le causò la rottura del timpano e un'estesa emorragia cerebrale. La operarono e per suturare la ferita ci vollero 45 punti.

Alle tre di notte ci ritrovammo – tutti e quattro i suoi figli – fuori dalla terapia intensiva. Eravamo arrivati dai posti più disparati. Io ricevetti la notizia mentre ero sulla spiaggia di un'isola greca, corsi al porto e riuscii a prendere al volo l'unico traghetto della giornata, la sera all'aeroporto di Rodi mi comprai un paio di jeans per non arrivare ad Aosta in costume da bagno.

Quando lei aprì gli occhi, due giorni dopo, e ci vide, si mise a piangere dalla rabbia e ci faceva segno con la mano di andare via. Rabbia per quello che era successo e rabbia per aver interrotto le vacanze di tutti. Rimase un mese in ospedale, tornò a casa che non riusciva ancora a stare in equilibrio.

Dovette riconquistare di nuovo ogni gesto quotidiano: alzarsi, camminare, lavarsi, fare le scale, cucinare. Ogni giorno una prova che richiedeva concentrazione e forza. Concentrazione su se stessa.

Uscì per la prima volta il giorno del suo compleanno, il 13 ottobre, ma aveva così paura che non si staccò mai dal braccio di mio fratello. Mi chiamò quando andò a prendere il giornale da sola, poi quando arrivò fino in panetteria e qualche giorno dopo al mercato. Le sembrò un'impresa salire sul tram. Si era convinta che non avrebbe mai più guidato, invece superò la paura e prese la macchina.

Seguirono altre vittorie, il primo bagno in mare, un viaggio e parlare in pubblico. Riuscire a sentirsi sicura tanto da fare un discorso fu la cosa più difficile. Uscì dalla prima conferenza, a cui era stata invitata per parlare di fede e perdono, sfinita ma felice. Quando si rimise davvero in piedi, era quella di prima. Quella vera.

Dopo essere rimasta vedova la prima volta con tre bambini piccoli, ci ha sempre detto che noi figli siamo stati la sua salvezza, che l'impegno che le richiedevamo l'aveva costretta ad andare avanti. C'è voluta un'altra emergenza per salvarla di nuovo.

Ha riscoperto i piccoli piaceri della vita, un angolo di sole sul balcone, una fetta di pane con il burro e le alici, un articolo di giornale che la indigna e la spinge a prendere il telefono per condividerlo con qualcun altro. «Nella vita c'è un unico segreto» ripete spesso. «Bisogna vedere la bottiglia mezza piena, perché la vita è fatta di cose belle e di dolori, e di dolori ne abbiamo avuti tanti, ma se ci fossimo fermati lì sarebbe davvero finita.»

VI
Camminare

Mi ha sempre fatto sorridere il successo di libri e programmi televisivi sull'arte terapeutica del riordino. Credere di guarire i mali dell'anima facendo ordine nei cassetti e negli armadi mi sembrava francamente un segno della decadenza del tempo. Poi ho cominciato, senza pensarci, a fare degli elenchi di cose che da troppo tempo erano sospese, accantonate e aspettavano di essere sistemate. Così ho cominciato a fare ordine, non tanto negli armadi, ma dentro di me e intorno a me.

Ho provato a dare un valore speciale al tempo vuoto, considerandolo non più come una mancanza ma come un'occasione, l'occasione per fare cose che da mesi, più spesso da anni, erano in lista d'attesa. E così, più in fretta di quanto immaginassi, il bicchiere è tornato a essere mezzo pieno.

«Be', adesso puoi farti un po' di vacanza», era il consiglio più frequente, ma la vacanza era l'ultima cosa che desideravo, perché mi faceva paura. In vacanza ci si va quando si lavora e l'immagine di me sdraiato al sole o in giro per un museo mi sembrava terribile, un modo per lasciare campo libero al dispiacere che è sempre in agguato, pronto a ricordarti cosa ti manca. Avevo bisogno, invece, di qualcosa per difendermi.

Così mi sono messo a camminare ogni mattina prima di fare colazione, e mi sono messo a camminare per andare a trovare tutte le persone preziose che sapevo avrebbero avuto qualcosa da dirmi.

Sono volato in California da Andra Bucci, una ragazza di 80 anni sopravvissuta con la sorella Tatiana al campo di sterminio nazista di Auschwitz. Avevo raccontato la storia della loro deportazione quando lavoravo alla «Stampa» e in un capitolo del libro *Non temete per noi, la nostra vita sarà meravigliosa*, ma di Andra mi ha sempre affascinato come ha vissuto dopo la guerra, la sua capacità di resilienza, la sua voglia di sorridere alla vita nonostante le tragedie, nonostante abbia perso nove parenti nel campo di concentramento e sia rimasta vedova quando era ancora giovane.

Vive a Sacramento, la città in cui abitano le figlie e suo nipote Joshua. Ogni mattina poco dopo l'alba esce a camminare. Si allena per la mezza maratona, ne fa tre o quattro ogni anno. Mi porta a camminare lungo l'American River, deve fare i suoi dieci chilometri quotidiani. Mentre attraversiamo il parco sul fiume le racconto di questo libro, dell'idea di parlare della mattina dopo. Di giorni dopo lei ne ha collezionati tantissimi, a partire da quello in cui si svegliò e i nazisti non c'erano più, c'era solo la neve e un silenzio totale. Erano scappati dopo aver distrutto le camere a gas, pensando di cancellare le colpe dei loro crimini, quelle camere a gas dove erano passati la nonna e gli zii.

Non vuole parlarmi di lei, ma della mattina dopo di sua madre Mira. Del giorno in cui i soldati americani le dissero che meritava un risarcimento e se lo poteva prendere subito.

Mira era rimasta ad Auschwitz pochi mesi, poi era stata portata in un campo di lavoro a Lippstadt, una piccola cittadina tedesca un'ora a est di Dortmund, in una fabbrica dove producevano proiettili e munizioni. Era entrata a far parte di quell'esercito di lavoratrici chiamate «le schiave di Hitler» ed era ancora viva quando arrivarono i soldati alleati a salvarle.

Il giorno dopo averle liberate le portarono al centro di Lippstadt e gli americani dissero a ognuna delle sopravvissute di scegliere una casa, di entrare, di prendere quello che volevano. Ogni donna era accompagnata da due soldati, le famiglie tedesche stavano a guardare in silenzio, così come avevano guardato con silenzio complice quello che accadeva sotto i loro occhi.

Mira vide una macchina da cucire, il suo sogno, la possibilità di cominciare una nuova vita come sarta. Però era troppo pesante, non ce l'avrebbe mai fatta a trasportarla fino a Trieste. Allora smontò la parte superiore, quella più preziosa, e se la portò via. Quella macchina da cucire tedesca rimase con lei per tutta la vita, a ricordarle cosa era successo ma anche come si può ricominciare.

Mira prese qualcos'altro che le sembrava altrettanto prezioso, anche se inutile, qualcosa che le ricordasse che la vita non era soltanto fatica, fame, disumanità e morte. Si portò via una coppia di passerotti di porcellana danese, che ora Andra tiene sul suo comodino, e un piccolo orologio da tavolo che scandiva il tempo suonando ogni mezz'ora.

Poi, quasi per scaramanzia o per speranza, staccò dal muro di quella casa tedesca un quadro in cui si vedevano due bambine nude, di schiena, davanti a un camino. Non aveva più notizie delle sue due figlie da quasi un anno e pensò che quel dipinto fosse un buon segno. Le avrebbe ritrovate a Londra soltanto due anni dopo la fine della guerra. Il quadro è ancora con loro.

La ascolto parlare e mi viene in mente una canzone degli Oasis, *Don't Look Back in Anger*. Parla di tutt'altro, ma il suo titolo è la sintesi perfetta di quello che mi porto a casa dai giorni passati con Andra: non guardare al passato con rabbia. Non si può cambiare ciò che è successo, bisogna farci pace. E prima lo si fa meglio è.

VII
Solo la fatica mi salverà

«Io non ho avuto bisogno di risvegliarmi per sapere cos'era successo. L'ho capito subito. Mentre ero ancora lì con la faccia sull'asfalto e davanti agli occhi avevo la Panda gialla che mi aveva tagliato la strada. Aspettavo l'ambulanza, ero immobile, sono riuscita a prendere il cellulare e ho chiamato mia sorella, ma non ha risposto. Ho provato con mio fratello e ho fatto in tempo soltanto a dirgli: "Guarda che ho fatto un incidente con la moto, non è colpa mia, mi sono fatta un male terribile, non sento più le gambe". Poi mi hanno tolto il telefono e mi hanno caricata sull'ambulanza. La mia mattina dopo, la coscienza che la mia vita di prima era finita, l'ho avuta subito.»

Ho conosciuto «Daniela la garagista» al bar del centro di riabilitazione Santa Lucia, stavo accompagnando il mio amico Omero Ciai a prendere un gelato quando l'abbiamo incontrata. Aveva una felpa azzurra della nazionale italiana di canottaggio, ha salutato Omero e poi, abbassando lo sguardo dietro le lenti rotonde, mi ha indicato il libro che aveva tra le gambe. Ho riconosciuto *La fortuna non esiste*, il secondo che ho scritto. «Me lo ha regalato un'amica comune, Fausta, che fa canottaggio con me. È bello, mi tiene compagnia.» Omero aveva diritto al suo gelato, le ho promesso che sarei tornato a trovarla il giorno dopo. Ha risposto asciutta: «Bene, se vieni a quest'ora mi trovi qui al bar. Ti aspetto».

Arrivo puntuale, mi colpisce il suo atteggiamento determinato, comincia a parlare senza perdere tempo in presentazioni, in giri di parole, va dritto al punto senza che le abbia fatto domande: «Indietro guardo poco. Anche davanti guardo poco. Sto concentrata sul presente, sul mio recupero. Penso ogni giorno a fare fatica. Faccio 80 minuti di fisioterapia, ma se potessi ne farei il doppio o il triplo. Ho capito che solo la fatica mi può salvare».

Parla, poi sta in silenzio a lungo, rispetto le sue pause, la guardo, ha i capelli a spazzola grigi, 52 anni che non dimostra e un'energia incredibile che si capisce non sappia dove mettere. È nata in Abruzzo, a Civitella Roveto, ultima di sei figli, ha lavorato in fabbrica come operaia per cinque anni, poi si è trasferita a Roma in un'impresa di pulizie e da diciotto anni è «Daniela la garagista». «Sono salvata così sui cellulari di tutti i clienti, in verità mi chiamo De Blasis, ma in quel garage di Trastevere ho scoperto che so fare tante cose che non avrei mai immaginato e così "garagista" mi va benissimo. All'inizio detestavo questo lavoro, nel parcheggio c'era spazio solo per cinquanta macchine e avevo troppo tempo vuoto. Poi ho imparato a intagliare e decorare la frutta e il legno, radici e cortecce, guardando i video su YouTube. "Il lavoro si impara con l'occhio" diceva mio padre e io a forza di guardare e provare sono riuscita a fare presepi grandissimi, scavati nei tronchi, con la grotta alta un metro tirata fuori da una radice.»

Dieci anni fa ha scoperto il canottaggio e non lo ha più lasciato. Se ne era innamorata come milioni di italiani ai tempi della vittoria dei fratelli Abbagnale alle Olimpiadi di Seul nel 1988, quella della telecronaca di Galeazzi. Ma tutti le dicevano che era uno sport per ricchi, che bisognava essere soci di un club e lei per vent'anni si è accontentata di guardarlo alla televisione. «Poi un cliente una sera mi ha detto che stavano aprendo sul Tevere un circolo senza quota associativa e con le donne, si sarebbe chiamato Canottieri Tre Ponti.»

Si iscrivono in 150, diventano una famiglia incredibile. Per Daniela la barca ideale diventa subito l'otto, con il timoniere a poppa, le piace il senso di squadra e l'affiatamento necessario per coordinare otto remi. Il 30 settembre, dodici giorni prima dell'incidente, in Friuli ai campionati italiani master il Tre Ponti occupa tutto il podio dell'otto femminile. La barca di Daniela arriva seconda, nelle foto del podio sorride felice con la medaglia d'argento al collo. Ha il ciuffo sugli occhi.

«Erano passate da poco le dieci e mezza di sera, avevo appena finito di giocare a paddle e al tramonto avevo remato sul Tevere. Stavo tornando a casa con la moto quando una Panda gialla, ignorando la striscia continua e il divieto di svolta a sinistra, mi ha tagliato la strada. Ho frenato e cercando di evitarla sono stata sbalzata dalla sella. Pochi secondi ed ero a terra.

«Sono stata operata d'urgenza al Policlinico Gemelli, dove sarei rimasta 43 giorni, avevo un polmone perforato e uno collassato, ma soprattutto un danno irreversibile alla spina dorsale, due vertebre fratturate. Non ho avuto bisogno di svegliarmi per avere lo choc, sono stata lucida e presente fino alla sala operatoria e ho capito subito tutto. Quando mi sono svegliata i miei fratelli mi dicevano le cose a rate, con amore, finché li ho interrotti: "Grazie regà, ma lo so che non cammino più".»

Non ho mai incontrato una persona che abbia in testa idee così chiare, che senta il dolore, la nostalgia, la rabbia per come tutto è cambiato in un momento ma sappia anche che passare troppo tempo da quelle parti è pericoloso. Bisogna scommettere su ciò che di buono è rimasto: «Fin dal primo momento ho sentito la forza dell'amicizia, il potere che ha. Sono venute a trovarmi tutte le amiche del canottaggio: in terapia intensiva non sono mai rimasta da sola. Le ho ascoltate tutte, avevo bisogno di tutte e della loro forza».

A Natale le hanno organizzato un concerto a sorpresa nel bar dell'ospedale, c'erano una viola e un violino che suonavano Paganini, un'altra volta sono arrivate in trenta e l'hanno portata al pub a bere una birra alle sei del pomeriggio: «Dovevo rientrare in ospedale prima delle nove, così ci siamo regalate un'evasione da quattordicenni».

Ogni mattina, appena si sveglia e prima di fare colazione, va a trovare la sorella, anche lei ricoverata al Santa Lucia per un aneurisma. Solo un piano le separa, ma la sorella non è in grado di muoversi da sola, così Daniela parte con la sua carrozzina, prende l'ascensore e va a farle coraggio. Quando me lo racconta non riesco a crederci, una coincidenza tragica e beffarda, potrebbe passare il tempo a lamentarsi e così potrebbero e dovrebbero fare i fratelli che a turno vengono ad assisterle. Invece non dicono una parola, non servirebbe a nulla, sanno che piangersi addosso non è una cura e fanno quello che è necessario fare con convinzione.

La consapevolezza di Daniela è maturata all'improvviso con una domanda secca che le è uscita appena ha recuperato lucidità, appena gli antidolorifici e le medicine hanno lasciato un po' di spazio: «Che cazzo faccio adesso?». Mi guarda come se attendesse una risposta da me, l'unica cosa che mi passa per la testa è la frase che ripete Omero: «Il mondo è uguale, soltanto è tutto più lento». Ma credo che lo possano dire solo loro, non noi, e non come consolazione. Daniela si morde il labbro e poi si risponde da sola: «Giorno per giorno ti devi abituare al fatto che le tue nuove gambe sono quattro ruote, due grandi e due piccole. Poi ti devi abituare a dipendere dagli altri, poi ti devi abituare a fare le cose con un altro ritmo, ma io non mi rassegno e ogni giorno mi concentro a imparare a fare più cose possibili da sola. Mi devo preparare alla nuova vita fuori, mi fa paura ma cerco di non pensarci e di stare focalizzata sulle cose più importanti. Soprattutto non devo guardare indietro».

Guardare indietro è troppo doloroso, ci sono le nostalgie e c'è la rabbia per quello che è successo, per la gratuità di un gesto fatto in modo irresponsabile che cambia per sempre la tua vita. «Non voglio sapere niente di quella che guidava la macchina, so che ha 25 anni ma non voglio sapere altro, nemmeno il nome. Certi giorni mi preoccupo per lei, per il processo, per le conseguenze che avrà sulla sua vita. Per il senso di colpa schiacciante che si può sentire. Altri giorni, invece, quando non riesco a fare le cose o quando i ricordi mi assalgono, una domanda mi tormenta: "Perché non mi ha mai mandato una lettera, un biglietto, un messaggio?". Niente, non si è mai fatta sentire, un fantasma che ha cambiato il corso della mia vita. Ho scoperto che era in auto con la figlia di una mia compagna di canottaggio, una coincidenza incredibile e terribile. Da quando l'ho saputo penso che poteva facilmente recuperare il mio numero e mandarmi un messaggio. Il massimo rischio che correva era un vaffanculo. Non mi spiego perché non l'abbia fatto. Così nei giorni neri penso che andrò da sola ad aspettarla sotto casa per dirle soltanto "Non ti dimenticare mai che su questa sedia a rotelle mi ci hai messo tu". Prima però devo prendere la patente, perché è certo che la prenderò, mica è finita la vita, sarà un po' più complicata ma c'è ancora da vivere. Solo chi muore si ferma. Non so cosa farò ma non mi arrendo. Ho perso le gambe e il lavoro ma non ho perso la mia vita, i miei fratelli e le mie amiche.»

Esattamente sei mesi dopo è tornata in barca, per una regata di beneficenza. Si era fatta portare a guardare dal ponte le sue compagne in allenamento, sentire di nuovo il rumore del remo nell'acqua era il sogno più grande. Momo, amica e allenatrice, è riuscita a organizzare una barca su cui lei potesse fare da timoniere: «Tornare sul fiume è stato una liberazione, è stato come volare. E poi ho sentito l'amore di tutte le altre che hanno corso il rischio di portarmi con loro. Si può essere ancora felici».

Ogni volta che vado al Santa Lucia imparo qualcosa sulla vita. In quel bar che sembra il centro del mondo ho visto il coraggio e la determinazione di Manuel

Bortuzzo, il nuotatore diciannovenne colpito da un proiettile alla schiena fuori da un bar vicino a Ostia.

È una struttura di sei piani tutta dedicata alla neuroriabilitazione. Non la conoscevo, poi, per andare a trovare Omero e Daniela, giorno dopo giorno ho scoperto le storie di chi ha avuto un ictus, lesioni spinali, un aneurisma. Ho visto passare i mesi e le persone, le ho viste ricominciare a parlare, a camminare, a sorridere.

Ho osservato i genitori che si prendono cura dei figli, sono quelli che mi colpiscono di più. Le storie purtroppo si somigliano tutte, parlano sempre di un incidente in auto o in moto. Una volta il ragazzo era senza cintura, un'altra è scivolato sul ghiaccio, un'altra ancora chi guidava ha avuto un colpo di sonno, quasi sempre era tarda sera o notte. Anche le vite si somigliano: sono tutti ventenni e stavano facendo l'università, chi aveva appena dato un esame, chi lo avrebbe dato due giorni dopo, chi si era fidanzato da poco e chi aveva trovato il primo lavoro.

Osservo queste madri e questi padri che con una cura straordinaria imboccano i figli, li puliscono, li accarezzano, li aiutano a sollevarsi con una pazienza infinita. Per la seconda volta nella vita gli insegnano a parlare, a leggere, a mangiare, a camminare. Un compito che non avrebbero mai immaginato gli sarebbe stato nuovamente richiesto. Penso che una di queste storie di fatica, di dolore e di amore andrebbe filmata e mostrata a tutti i ragazzi che fanno la maturità o stanno per prendere la patente. Devono sapere quanto fragile e delicata sia la nostra vita.

Nei sotterranei del Santa Lucia trovo un bellissimo campo da basket, cammino sul parquet, cerco un pallone, avrei voglia di cominciare a tirare, purtroppo sono tutti in una gabbia chiusa col lucchetto. Mi chiedo perché un ospedale abbia fatto un investimento così, poi vedo le foto nei corridoi della palestra con le squadre di uomini e donne di ogni età che giocano in carrozzina e capisco: la pallacanestro ti impone di alzare la testa, di puntare lo sguardo in alto verso l'obiettivo e di lanciare la palla lontano. Non poteva esserci esempio migliore.

Una mattina la primaria, Rita Formisano, mi ha raccontato quello che abbiamo dimenticato o non abbiamo mai saputo: in Italia c'erano pochissimi luoghi capaci di accogliere e provare a recuperare persone che uscivano dal coma ma non erano in grado di nutrirsi, di deglutire, di muoversi. Chi se lo poteva permettere andava all'estero per cercare di salvare l'esistenza di un parente, ricoveri e riabilitazioni costavano cifre esorbitanti, ricorda un nonno che vendette la casa per provare a dare un futuro alla nipote dopo un incidente. Altrimenti i pazienti erano considerati persi e abbandonati nelle lungodegenze: da allora è stato fatto un lavoro incredibile.

Oggi ci sono decine di specialisti che aiutano i pazienti a ricostruirsi un pezzo alla volta e ci sono gli psicologi dedicati al supporto delle famiglie. Quello che fanno è la risposta a ogni mia domanda: «Molti pazienti rifiutano di prendere coscienza della situazione, è troppo doloroso, è un lutto parziale. Bisogna imparare a guardare avanti e non indietro, non puoi fare confronti con la vita di prima, perché se le aspettative sono di tornare quello di prima sarai sempre deluso da ogni passo fatto, da ogni avanzamento. Ogni obiettivo raggiunto non sarà mai abbastanza se l'aspettativa è cancellare quello che è successo».

Mentre mi parla vedo sul tavolo la tesi di laurea di Martina, una ragazza che era arrivata qui con un diffuso danno cerebrale dopo un arresto cardiaco. Quando è entrata non parlava, non riconosceva, non deglutiva, non ricordava. Si è appena laureata in economia a Tor Vergata.

VIII

Sottili come carta

«Mia madre aspettava quella telefonata da diciotto anni, da quando mi aveva comprato il motorino alla fine della scuola media. Ne immaginava esattamente le parole: "Signora, c'è stato un incidente, Damiano ha qualche piccola ferita ma sta bene, non è niente di grave". E sapeva anche che non ci avrebbe creduto, che era un modo per prendere tempo, perché a una madre non si può dire la verità tutta insieme. Mai però avrebbe potuto pensare a una telefonata come questa: "Signora, l'aereo di Damiano è caduto. Ma non si preoccupi lui è sano e salvo, qualche piccola ferita ma niente di grave". Perché se ancora puoi sperare che una caduta dal motorino non sia fatale, come fai a credere che tuo figlio si sia salvato nello schianto di un aereo in un lago africano?

«Nel frattempo il sito di una radio delle Nazioni Unite in Sud Sudan, citato da un'emittente di Catania, diceva che nella tragedia era morto anche un medico italiano. Era paralizzata dall'ansia, dalla paura, non voleva cercare una smentita che potesse trasformarsi in una conferma.

«Io ero sdraiato sulla barella, avevo dolori in ogni parte del corpo. Ero già svenuto molte volte ma un pensiero mi tormentava: che mia madre pensasse che ero morto. Raccolsi tutte le forze, chiesi il mio telefono e se nell'ospedale c'era il Wi-Fi. Respirai più volte, cercai un tono ironico e chiamai con WhatsApp. "Sto bene" gridai appena rispose. "Ma se è caduto l'aereo" disse lei. "Sì, mamma, è caduto l'aereo ma io non mi sono fatto niente. Forse qualche frattura ma niente di che, è tutto a posto." Lei piangeva e non sapeva se essere felice perché ero vivo o terrorizzata perché l'aereo era precipitato.»

Esiste una mattina dopo più potente di quella di chi si sveglia sapendo che è vivo per caso o per miracolo? La storia di Damiano Cantone, 33 anni, medico ecografista che si sta specializzando all'ospedale di Catania, mi ronza nella testa da mesi, non riesce a farsi dimenticare. Avevo letto di lui il giorno dell'incidente, avevo chiamato due volte il Cuamm, la più grande organizzazione di medici che lavorano in Africa, per sapere come stava e come era potuto sopravvivere, poi avevo chiesto di intervistarlo. Però volevo avere tempo e guardarlo in faccia. Non era stato possibile. Aveva soltanto parlato con alcuni quotidiani e televisioni appena tornato a casa.

Poi non se ne era saputo più nulla, come accade sempre. E lì la voglia di andare a trovarlo era cresciuta. A me piace sempre meno il giornalismo del tempo reale e sempre più quello del giorno dopo, mi affascina provare a capire come sono andate a finire le cose, quando le luci della ribalta – che durano una sera – si sono spente e il circo dei mille microfoni è già da un'altra parte. Voglio sapere come ci si sente il giorno dopo essere scampati a un incidente aereo, come ci si sente dopo che il tuo sogno è svanito. Ma soprattutto voglio sapere in che modo si vive, se davvero qualcosa di nuovo e diverso accade, la possibilità di una seconda vita.

Lo cerco durante le vacanze di Pasqua, parliamo al telefono, è quasi stupito che qualcuno sia ancora interessato alla sua storia e ancora più stupito quando gli chiedo se può dedicarmi una giornata intera. Ho imparato che i racconti migliori arrivano se si ha la pazienza di sopportare i silenzi, di camminare, di mangiare insieme, di immergersi nella vita degli altri.

Capisce e mi dà appuntamento sul lungomare dei Ciclopi di Aci Castello.

Ho visto le sue foto ma non so cosa aspettarmi. L'identikit è di un medico idealista che voleva a tutti i costi l'Africa, reduce da una lunga riabilitazione. Mi trovo davanti un bel ragazzo atletico, che scende dalla sella di una Triumph Bonneville nera, si ferma a guardare le onde e a ragionare se sia una buona giornata per il surf.

Mi viene incontro, sorride, si leva il giubbotto di pelle, mi chiede se ho già fatto colazione e per prima cosa ordina due brioche con la granita. Io la vorrei di caffè ma lui dice che la devo prendere di mandorla. Il tono è talmente determinato che mi adeguo.

«Di quello che è successo non ricordo niente. So soltanto che ero seduto in fila 13, che quel numero non lo voleva nessuno e alla fine lo avevano rifilato a me, al ragazzo bianco che non conosceva la lingua locale. Fui l'unico ad allacciare la cintura di sicurezza. Per gli altri quel volo non era che l'estensione di un autobus, un mezzo su cui caricare bagagli, merci e persone finché c'era un minimo di spazio. Ero nel posto corridoio e accanto al finestrino avevano messo un ragazzo sudanese altissimo che non riusciva a farci stare le ginocchia. Ricordo molta foschia e nient'altro. Era la mattina del 9 settembre. A bordo eravamo in 23.

«Ero arrivato al Juba International Airport quattro giorni prima, con un volo Ethiopian da Addis Abeba. Quando leggi "aeroporto internazionale" pensi a una struttura, ai varchi, ai controlli. Invece non c'era assolutamente nulla. Non un autobus, non un ingresso, non un aeroporto. C'era solo una tenda sorretta da quattro pali di legno. Su uno di questi era stato attaccato un grosso cartellone con la scritta: "Potresti avere l'ebola! Screening più avanti". Ecco lo screening per fermare il rischio di un'epidemia: un uomo solo, armato di termometro a infrarossi che misura la febbre ai passeggeri. Mi fece quasi tenerezza.

«Dovevo ripartire due giorni dopo, destinazione Yirol nello Stato dei Laghi. Ma in Sud Sudan nulla è certo, tutto precario e affidato a variabili incomprensibili e sconosciute. Da Giuba a Yirol una volta a settimana vola un aereo delle Nazioni Unite, se non riesci a trovare posto su quello allora devi chiedere alle compagnie private che hanno i loro uffici (container in cui si soffoca per il caldo) sparsi lungo la pista. La mia si chiamava South West Aviation e faceva volare un turboelica di fabbricazione ceca che – scoprii dopo – era stato affittato da una compagnia ucraina. Era stato tenuto fermo per anni in un hangar. L'unica foto disponibile lo ritrae in mezzo alla neve. La situazione però non mi preoccupava. Non ho mai avuto paura di volare, ho il brevetto da pilota e cinquanta ore di pratica sugli ultraleggeri. Ho sempre ripetuto che è molto più pericolosa la macchina, che è altamente improbabile, se non statisticamente impossibile, restare vittime di un incidente aereo.

«Nel giorno previsto mi presentai alle sette di mattina all'ufficio della compagnia. Ero il primo. All'interno del container c'erano due uomini che scrissero il mio nome su un foglio di carta giallastra e poi mi assicurarono che prima di sera saremmo partiti. Consegnai tutti i miei bagagli e mi sedetti su una sedia di plastica, ma sembrava di stare in un forno, così mi spostai fuori. Il secondo passeggero era un anziano soldato vestito con una tuta mimetica, che viaggiava solo con il bagaglio a mano: un AK-47, il kalashnikov. Non c'era niente da bere o da mangiare. Solo mosche. Passai una giornata intera ad attendere, poi, quando venne buio, ci dissero solo di ripresentarci il giorno dopo.

«Presi tutto con grande tranquillità, mi ero preparato da tempo alle difficoltà che avrei incontrato. Quelle vere, quelle che avevo sentito elencare quando avevo incontrato per la prima volta Don Dante Carraro, il medico e sacerdote che guida il Cuamm. Era l'ultimo giorno del terzo corso che frequentavo per prepararmi a fare un'esperienza come medico specializzando.

«Venne a salutare noi ragazzi e cominciò a raccontare lentamente, con accento veneto: "Ragazzi badate bene, non tutte le realtà sono uguali in Africa. Sono appena tornato da Yirol, Sud Sudan. Sono stato due settimane per cercare di sistemare un po' di cose. Mi sono chiesto come facciano i nostri medici a resistere un anno. Le strade sono bloccate da enormi pozzanghere, è tutto allagato, non arriva nulla da fuori. La temperatura è infernale e, quando respiri, respiri terra. Terra che ti si appiccica alla gola provocando una nausea indescrivibile. È in questo stato che devi riuscire a ingoiare un boccone di riso con fagioli, unico cibo presente in ogni pasto. Finisce che ci rinunci e non mangi neanche quello. È così che perdi dieci chili in un mese".

«In quel momento esatto pensai che era il posto per me. Quella sera mi misi a leggere tutto quello che trovai, sapevo della guerra civile, dei massacri, degli sfollati costretti ad attraversare le grandi paludi piene di zanzare e parassiti. Scoprii che affrontavano malattie che da noi sono scomparse da secoli, altre che non sono mai arrivate e altre che non avevo mai sentito nominare: colera, malaria, tubercolosi, paragonimiasi, meningite, ebola, leishmaniosi, tifo, rickettsiosi, Aids, febbre gialla, dengue, dracunculiasi, echinococcosi, peste, rabbia. Più andavo avanti e più sentivo che volevo andare laggiù. Insieme, però, una voce mi diceva: "Cosa stai facendo? Perché? È incoscienza o coraggio?". Anni prima mi ero sottolineato questo passaggio del libro *Il bene ostinato* di Paolo Rumiz: "Se credi di venire qui dall'Italia per placare le tue ansie, ti sbagli di grosso e deflagri. Lavori il doppio, sei solo, non hai gratificazioni... Se in condizioni simili non sei centrato, succede che vai ancora più storto di prima". Erano parole di Lorenzo Mecocci, medico di grande esperienza, pronunciate in Sud Sudan dieci anni prima.

«Avevo iniziato a pensare all'Africa al terzo anno di università a Catania, quando finalmente cominci a imparare qualcosa di pratico e senti che potresti essere utile, provare a dare una mano. Molto avevano fatto libri e film, sentivo un richiamo fin troppo romantico e idealista. A farmi rimettere i piedi per terra ci pensò la realtà: nessuna organizzazione medica manda studenti a fare i medici in Africa, devi essere come minimo al terzo anno di specialità, devi seguire un training di alcune settimane e solo allora potrai partire per sei mesi.

«Quando finalmente ebbi tutte le carte in regola e finii il corso di preparazione, mi chiamarono per l'ultimo colloquio al secondo piano del palazzo dove ha sede il Cuamm a Padova.

«"Hai la ragazza?"

«"No."

«"Hai fratelli o sorelle?"

«"Sì, una sorella."

«"Come la prenderebbero i tuoi genitori sapendoti in uno Stato a forte instabilità politica e sociale?"

«"Uno dei due vivrebbe una forte preoccupazione senza comprenderne pienamente il significato. L'altro al contrario."

«"Bene, Damiano, come sai di solito non mandiamo specializzandi in Sud Sudan perché si tratta di un contesto pericoloso, estremo e di difficile sopportazione. Noi però abbiamo pensato di fare un'eccezione. Te la senti?"

«"Sì" risposi senza esitazione. Era arrivato il mio momento e non sarebbero state certo l'attesa, le mosche, il caldo o la paura a preoccuparmi. In un certo senso mi ero allenato. Da quando mi ero laureato e avevo preso il primo stipendio, avevo sempre speso tutto in viaggi, in quattro anni non avevo mai messo da parte nemmeno un centesimo. Lo avevo fatto da solo, in modo spartano e mai in luoghi di turismo di massa. Avevo sviluppato la tolleranza al clima, all'incertezza, alla distanza, alla solitudine e una certa velocità di adattamento.

«In quella lunga giornata in attesa che il nostro turboelica si decidesse a partire feci due amicizie, con una bambina di cinque anni che viaggiava con le zie e il cuginetto più piccolo, e con Simon Adut, il vescovo anglicano di Yirol. La bambina sembrava molto timida, aveva un vestito rosa e bianco e le trecce. Le sorridevo e lei mi guardava di nascosto, rifugiata dietro la zia. Le facevo le linguacce, poi mi alzavo e le bussavo con le dita su una spalla, ma si rifugiava sempre più nel vestito della zia. Appena ho smesso e sono tornato a sedermi dandole le spalle, è arrivata di corsa e mi ha stampato un ceffone in mezzo alle scapole! Abbiamo giocato per più di un'ora a nascondino, ad "acchiappa-acchiappa" e abbiamo finito con il solletico per lei e il cuginetto.

«Smisi perché avevo l'affanno e morivo di sete. All'angolo della strada c'era una signora con un carretto, le chiesi se aveva una bottiglietta, rimase in silenzio ma una ragazzina raccolse dell'acqua da un secchio con un mestolo e la versò in un bicchiere sporco. Rifiutai con più garbo possibile e tornai indietro. Si avvicinò un uomo con la camicia color ciliegia e un collarino ecclesiastico. Mi chiese se avevo sete e mandò un ragazzo a prendermi una bottiglia di acqua fredda. Ringraziò che c'erano ancora medici disposti ad andare nella sua terra. Mi raccontò che aveva una moglie e sei figli, che era vescovo di Yirol da tre anni e si fece promettere che mi sarei fatto vedere in chiesa la domenica.

«Quando ci dissero di ripresentarci la mattina dopo, chiesi indietro i bagagli ma non ne volevano sapere. Iniziò una discussione infinita, non volevo lasciare tutta la notte il mio prezioso carico incustodito all'aeroporto. Memore delle parole di Don Dante, avevo con me pochissimi vestiti ma due grandi borse piene di cibo, che avrebbero tenuto alto il morale dei medici e mi avrebbero evitato per qualche settimana il riso con i fagioli. Avevo messo sotto vuoto formaggi siciliani e olive e avevo fatto il pieno di pasta, sughi, biscotti, merendine, nutella, caffè e tutto il necessario per fare la pizza: farina, lievito e salsa di pomodoro.

«Alla fine ebbi la meglio. Il conto, però, sarebbe arrivato la mattina dopo. Quando mi ripresentai, infatti, mi dissero che non c'era più spazio per le mie valigie, che me le avrebbero spedite la settimana dopo. Di nuovo non avevo nessuna intenzione di abbandonare la mia spesa, cosciente che non l'avrei mai più rivista. Dissi che non sarei mai partito senza di loro.

«Finalmente, poco prima di decollare, dopo mille discussioni, le scaraventarono nella coda dell'aereo. Ma c'era ancora un problema che impediva la partenza. I soldati non facevano salire un ragazzo ugandese, contestando la validità dei suoi documenti e del suo permesso di lavoro. Lui cominciò a implorare i funzionari, a piangere, a un certo punto – quando i motori erano già accesi – si mise in ginocchio sulla pista chiedendo che lo facessero salire. Non so come, ma riuscì a convincerli ed entrò nella cabina felice. L'arroganza di quei soldati gli aveva quasi salvato la vita. Fu l'ultimo a presentarsi all'appuntamento con la morte. Un'ora dopo sarebbe precipitato anche lui in mezzo al lago a tre chilometri da Yirol.

«Eravamo quasi arrivati, il volo durava cinquantacinque minuti, guardai l'orologio e ne erano già passati cinquanta. Accanto all'orologio c'era ancora quel braccialetto di cotone bianco che mi aveva legato al polso un monaco buddista in Sri Lanka, poco prima di salire i 5200 scalini dell'Adam's Peak, per vedere l'alba dalla cima della montagna sacra del paese. Erano passati due anni ma quel piccolo filo ormai usurato resisteva ancora. Non l'avevo mai tolto, il monaco mi aveva detto che mi avrebbe protetto.

«Mancava davvero poco all'atterraggio ma mi venne sonno. Mi addormentai quando entrammo in una nuvola, o forse era nebbia. Poco dopo mi svegliarono grida di spavento, l'aereo fece una cabrata brusca, eravamo bassissimi, dal finestrino si vedeva a pochi metri l'acqua di un fiume. Riprendemmo quota, mi riaddormentai, non ricordo più nulla.

«Quando ho aperto gli occhi ho visto la faccia della

bambina. Ho pensato che allora eravamo arrivati. Ma perché non ricordavo l'atterraggio? Poi ho visto che aveva i capelli e il vestito bagnati ed era aggrappata al mio braccio. Sono svenuto di nuovo. Ho riaperto gli occhi come svegliato dalle mie stesse grida di aiuto e ho rivisto la sua faccia e ho pensato che ero vivo. Eravamo vivi. Eravamo in acqua, ma era bassa e io riuscivo a toccare. Una canoa con tre ragazzi si dirigeva verso di noi, gridavano in inglese di resistere, che stavano arrivando. Ci hanno tirati su e ci siamo diretti verso la riva. Continuavano a ringraziarmi, dicevano che avevo salvato la bambina e l'avevo portata fuori dai rottami. Da terra arrivavano urla strazianti, sulla sponda c'erano un centinaio di persone. Erano i parenti. Aspettavano le canoe. Ma a bordo c'erano solo cadaveri. Non riesco a dimenticare quelle grida.

«I tre ragazzi avevano meno di 20 anni, pagaiavano con tutte le loro forze. Ero sdraiato sul fondo della canoa e mi concentrai per capire cosa mi era successo, cercai di farmi un esame obiettivo come se stessi visitando un malato. Riuscivo a muovere le gambe e le braccia, la cosa mi rassicurava ma cominciai a toccarmi per capire se c'era qualcosa di grave di cui non avevo coscienza. "Sono sopravvissuto allo schianto e adesso di cosa potrei morire?" continuavo a ripetermi nella testa. Trovai un taglio profondo dall'orecchio al mento, usciva molto sangue, i ragazzi si misero a gridare di non toccarlo, tremavano terrorizzati.

«L'adrenalina e le difese dal dolore che la natura ci ha dato mi avevano anestetizzato e mi impedivano di capire. Solo dopo molte ore il quadro fu chiaro: frattura del bacino in tre punti, fratture vertebrali multiple, la prima lombare polverizzata, una costola rotta, come il polso destro e così il naso e la mandibola. Tagli ovunque sul volto.

«A terra, degli adulti mi hanno preso in braccio e mi hanno caricato nel cassone di un pick-up, direttamente sul fondo. L'autista si mise a correre per fare più in fretta possibile, la strada era piena di buche e sobbalzavo continuamente. A ogni dosso il mio corpo faceva un salto nel vuoto e poi ricadeva sul metallo ondulato. È stata la parte più dolorosa, è possibile che le vertebre si siano rotte in quel viaggio verso l'ospedale di Yirol, quello dove sarei dovuto arrivare come medico, non come paziente.

«Quando mi hanno adagiato sulla barella, ho provato un sollievo incredibile, mi ha accolto Pinuccia, infermiera italiana del Cuamm e subito il chirurgo sud sudanese ha cominciato a suturarmi la faccia e la gola. Poi è arrivata Marta Lunardi, il medico che avrebbe dovuto farmi da tutor e invece era qui con l'ecografo per escludere emorragie interne. Ha detto che avevo bisogno urgente di una trasfusione. Una persona che era lì aveva il mio stesso gruppo sanguigno, non si è tirata indietro e mi ha donato il suo sangue.

«Ho detto a Marta di non preoccuparsi per me, di andare dagli altri che forse avevano più bisogno. Lei mi ha risposto a voce bassa che non c'era nessuno da curare, nessuno più da visitare: "Guarda che sono tutti morti, siete sopravvissuti solo in tre". Sono rimasto pietrificato, ho ripensato a tutti quelli che avevo conosciuto e osservato nella lunghissima attesa. Hanno cominciato a scorrermi i loro volti davanti agli occhi: il bambino a cui facevo il solletico, sua madre, il vescovo anglicano, il ragazzo ugandese che aveva dovuto implorare per poter partire, il militare con il kalashnikov. Nessuno di loro c'era più, le loro esistenze cancellate, i progetti, le promesse, i sogni, gli affetti. E io invece ero qui, vivo. E il gigantesco sudanese che mi era seduto accanto. Perché lui era morto e io no? Eppure lui era vicino al finestrino.

«Non si può immaginare che esista un peso, quasi una colpa di essere sopravvissuti. In quel momento mi ha invaso e non se n'è mai più andato via. Un vuoto, per le vite che il destino aveva messo accanto e insieme alla tua ma che si sono perdute. Erano sconosciuti che non avrei mai più rivisto, ma un destino comune ci ha legati, trasformandoci in fratelli. Io però sono stato l'eccezione e se accade devi trovare il modo di meritarti questa condizione e di fare pace con il senso di colpa.

«Tre. Solo in tre siamo usciti vivi dai rottami e non sapremo mai perché.

«Dopo la trasfusione ho rivisto la bambina, sorrideva, era venuta a salutarmi insieme alla mamma, che continuava a ringraziarmi per averle salvato la figlia. Continuo a non ricordare di averlo fatto.

«Poi c'è Abram, un uomo pelato con gli occhialini, non ho ancora capito cosa faccia nella vita. Mi telefona dal Sud Sudan ogni due giorni, per dirmi che sta bene, che siamo accomunati dalla grazia e dal mistero e conclude la chiamata sempre con le stesse parole: "Che Dio ti benedica".

«Sono rimasto a Yirol solo mezza giornata, ma avevo bisogno di radiografie per individuare tutte le fratture e per farle dovevo tornare a Giuba. Mi ci ha portato un elicottero di Amref, sono stati bravissimi e sempre loro mi hanno poi trasportato a Nairobi, in Kenya, all'ospedale dell'Aga Khan, dove sono rimasto quattro giorni per stabilizzarmi, fare la Tac e cominciare le terapie antibiotiche. Hanno pensato a tutto le Generali, con cui il Cuamm mi aveva assicurato. Sempre loro hanno affittato un'eliambulanza per riportarmi in Italia.

«Era tutto pronto per operarmi a Nairobi, per stabilizzare la vertebra messa peggio e più pericolosa, quando sono arrivati Don Dante e mia madre. Lei, appena mi ha visto, è quasi svenuta. Lui le ha fatto coraggio e mi ha consigliato di fare l'operazione a Torino, non perché non si fidasse dei chirurghi di Nairobi ma perché riteneva più sicuro seguire il percorso post-operatorio in Italia. Io non ne volevo sapere, avevo quaranta di febbre, dolori lancinanti anche solo per piccoli spostamenti e l'idea di volare fino in Italia mi terrorizzava. Dante e mia madre mi hanno chiesto di stringere i denti, dovevo tornare a casa.

«Mi hanno immobilizzato in una barella spinale e caricato su un piccolo aereo. È stata la parte più pesante, una sofferenza infinita. Abbiamo fatto scalo a Khartum e a Creta, prima di atterrare a Torino e raggiungere il Cto. L'operazione è perfettamente riuscita, ma è arrivata la tanto temuta infezione post-operatoria, così hanno dovuto operarmi una seconda volta, riaprirmi per cambiare tutti i pezzi. Sono stato dimesso il 16 ottobre, esattamente un mese dopo. Ero il fantasma di quel ragazzo che era partito per Yirol, avevo perso 22 chili in quattro settimane.»

Ha parlato senza interruzioni, ha srotolato di fronte ai miei occhi il film della sua memoria, lo ha fatto con calma e con ordine, non sembra per nulla segnato dalla paura.

L'unico dettaglio nuovo, rispetto alle foto del passato, è la barba, serve a coprire le cicatrici del collo e del volto. Sono passati poco più di sei mesi dal giorno in cui è uscito dall'ospedale e quattro da quando ha ricominciato a camminare, così mi sembra incredibile vederlo in moto o pensarlo sulla tavola da surf. Sì, perché a gennaio era già sulla sua Bonneville e a metà febbraio, alla prima mareggiata, ha messo la muta ed è tornato in mare. Gli amici del surf lo guardavano preoccupati e meravigliati quando è riuscito a cavalcare la prima onda.

Ha ricominciato a camminare il giorno dell'Immacolata e ha aspettato quel momento per dire a sua madre che a Natale sarebbe andato in vacanza nelle Filippine: «Parto il 27, faccio scalo a Singapore e vado al mare». Lei non ci poteva credere, non sapeva cosa dirgli, le sembrava davvero una pazzia. «Le ho spiegato che avevo bisogno di qualcosa di vitale, di ricominciare a sognare, di forzare i tempi, di camminare sulla sabbia, nuotare, stare al caldo, stare bene. Bisogna regalarsi la voglia di reagire e ricostruire.» La cura Filippine funziona alla grande, quando torna cammina perfettamente e prende la moto.

È nella testa che rimangono aperte due ferite.

La prima è il dolore per l'esperienza mancata: «Già in ospedale, fin da subito, ho provato una rabbia immensa perché mi era stata tolta la possibilità di vivere l'esperienza che tanto avevo sognato». Si ferma un attimo, mette le mani avanti per sottolineare che non ha perso di vista la dimensione delle cose: «Sia chiaro che in me era prevalente la felicità di essere vivo, non vorrei essere frainteso, ma quell'incidente aereo ha cancellato il mio progetto di vita o, spero, lo ha solo rinviato. La frustrazione, nelle settimane in cui sono rimasto bloccato a letto, cresceva: mi ero preparato per mesi, avevo studiato, avevo salutato gli amici, la mia quotidianità aveva perso importanza, ero completamente focalizzato sull'ospedale di Yirol e invece ero io il paziente, incapace di muoversi e di lavorare.

«L'Africa era il mio esame, un posto dove ogni gesto ha un peso maggiore, pensavo che la mia esistenza stava per avere un senso più grande e invece sono tornato a casa su una carrozzina spinta da mia madre. Appena mi hanno disteso sulla barella dell'ospedale di Yirol e ho potuto respirare e guardare intorno, ho pensato: devo tornarci al più presto qui, appena mi rimetto in piedi la devo fare questa esperienza. Mi manca un pezzo, mi è rimasto un vuoto».

La seconda ferita è non sapere cosa è successo: «Continuo a sognare di rivedere tutto al rallentatore, di guardare la scena come se fosse un film e finalmente capire. Non avevo i pantaloni, le calze e le scarpe. Probabilmente ce li hanno fatti togliere, mi hanno spiegato che è una procedura se si teme un incendio, perché non si attacchino alla pelle. L'aereo si è schiantato a tre chilometri e mezzo dalla pista, forse aveva un'avaria e ha tentato di atterrare sull'acqua, per questo ci hanno fatto spogliare. La bambina ricorda che faceva caldissimo, la mia testa invece ha cancellato tutto. Forse abbiamo avuto problemi per il troppo peso, i troppi bagagli, chissà.

«Sono tutte supposizioni di chi è ossessionato dal bisogno di capire e cerca senza pace su Internet. Nessuno mi ha spiegato nulla, non ho nemmeno capito se ci sia davvero un'inchiesta, non esiste nessuno a cui rivolgersi, avevo letto che era stata ritrovata la scatola nera nel lago, ma poi più nulla. Non mi faccio una ragione che non si sappia nulla, quei morti sono totalmente dimenticati. Tutte le settimane controllo la rete per vedere se si sa qualcosa, invece è come se non fosse mai accaduto, come se quel bambino, quelle donne e quegli uomini non fossero mai esistiti».

Vorrebbe tornare lì al più presto, ma adesso non può partire, deve prima finire la scuola di specializzazione. Vuole incontrare la bambina, prende il telefono e mi fa vedere la sua foto, sorride con gli orecchini e la felpa di Topolino. Vuole abbracciare i ragazzi del lago, ringraziarli e fargli tutte le domande possibili.

Sulla scrivania di casa, tiene il computer che aveva tra le gambe al momento dell'impatto: è piegato in due. Gli ricorda il miracolo, il destino, il caso o la fortuna a seconda dei punti di vista di ognuno di noi. La sua seconda vita è vissuta con una fame di esperienze, sfide e rapporti umani e con la consapevolezza che ogni cosa non è data.

«La vita è molto più fragile di quanto pensiamo, oggi sento quanto l'esistenza sia precaria.»

Ormai è quasi sera, abbiamo parlato tutto il giorno, siamo andati a mangiare sul mare di Aci Trezza, abbiamo camminato per il centro di Catania dove finalmente ho avuto la mia granita di caffè. Il racconto è rallentato, parla piano, prevale il silenzio, ha voglia di tirare le somme: «Una serie di parametri che come tutti avevo – la crescita verticale di una vita, posizione lavorativa, guadagno, comprare la macchina, la casa – hanno perso valore, importanza. Mi sembra che valga davvero la pena puntare sulle esperienze, sui rapporti umani. Se mi chiedi di cosa mi preoccupi ogni mattina ti rispondo in modo semplice, forse banale: sorridere e far sorridere. Tutto è precario, dobbiamo essere qualcosa».

Poi mi regala una frase di Charles Bukowski che gli sembra spieghi tutto definitivamente: «Siamo sottili come carta. Viviamo sul filo delle percentuali, temporaneamente. E questo è il bello e il brutto, il fattore tempo. E non ci si può fare niente».

Dimenticavo: quando arrivò all'ospedale di Yirol e finalmente lo misero sulla barella, Damiano si guardò il polso sinistro, per controllare se l'orologio ci fosse ancora. L'orologio c'era. Non c'era più il braccialetto bianco.

IX
Il mondo di ieri

«Correvo da una parte all'altra arraffando carte e oggetti come fossi un ladro a casa mia. Non potevo perdere un istante e dovevo avere la lucidità di prendere tutto ciò che era davvero importante. Il resto lo avrei perso per sempre.» La mattina dopo il golpe, Yavuz Baydar si sveglia con una lucida convinzione: bisogna scappare al più presto dalla Turchia, questa volta il regime colpirà definitivamente ogni voce dissidente e di opposizione. In quarant'anni di carriera come giornalista e scrittore è già stato licenziato due volte, ma questa volta sarà diverso, in pericolo non c'è più il posto di lavoro ma la libertà e la vita.

Ha dormito solo un'ora, sente addosso come una febbre, è tormentato dal sudore e dall'ansia ma è perfettamente cosciente delle conseguenze di ogni errore. Suo figlio è a studiare in Francia, sua moglie in vacanza sulla costa, lui è rimasto solo e deve fuggire. Per prima cosa pensa alla strada da fare, quale posto di frontiera possa essere più sicuro per passare in Grecia. Sceglie di puntare a nord, di scommettere su Edirne. Lo ricorda come un varco secondario, sonnacchioso, fuori dalle rotte. Poi prova a calcolare quante cose possano starci nel bagagliaio della sua auto. A questo punto comincia freneticamente a scegliere. Salvare e scartare, salvare e abbandonare, salvare e rimpiangere.

A Istanbul si soffoca per l'umidità, non c'è un filo d'aria, il sudore gli cola sul naso e gli cade sugli occhi. Fuori gli altoparlanti delle moschee chiamano i fedeli a raccolta, non invitano alla preghiera ma alla mobilitazione. Il volume della voce degli imam è assordante e aumenta la sua angoscia.

Ha fatto le valigie e gli scatoloni, li ha accatastati davanti alla porta. Dopo quattro ore il suo istinto ha detto che il tempo è scaduto, dovrebbe partire. Ha raccolto l'essenziale, ci sono le foto più preziose, i computer, gli hard disk, gli oggetti di una vita, ma gli manca un libro. Lo ha cercato da tutte le parti senza trovarlo. Vuole quel libro. Si fa prendere dalla disperazione, non può perdere tempo ma sente che non può nemmeno partire senza. Decide di fare un ultimo giro di tutte le librerie, nello studio i volumi sono messi in doppia fila, scava più veloce che può, li rovescia per terra e, solo quando ha perso ogni speranza, lo trova: *Il mondo di ieri* di Stefan Zweig.

Il libro di memorie che lo scrittore austriaco scrisse prima di morire durante l'esilio in Brasile. Il racconto dell'età spensierata, ottimista e libera che gli intellettuali avevano vissuto prima della fine dell'Impero e dello scoppio della prima guerra mondiale. Un amuleto per chi sa che sta per andare in esilio, per chi sa che rimpiangerà per sempre quella Turchia libera e laica che aveva amato. Aveva sperato di andare in Europa con quella Turchia, invece adesso deve provare ad andarci da solo e deve farlo in fretta.

Guarda la casa per l'ultima volta, gli occhi gli si riempiono di lacrime, cerca di imprimere ogni particolare nella memoria, si ferma nella stanza del figlio, quella in cui ha più ricordi.

L'ansia gli stringe la gola, e se lo bloccassero al confine? Ha paura di restare paralizzato, di farsi prendere dal panico. La soluzione è sotto i suoi occhi, quella bottiglia di whisky di malto da collezione. Gliela avevano regalata per un'occasione speciale. Quell'occasione è arrivata, anche se non è proprio quella che avrebbe immaginato.

Le strade di Istanbul sono deserte ma non ci sono certezze. I ponti sul Bosforo per passare dalla sponda asiatica a quella europea saranno aperti? Impossibile saperlo. Non può sbagliare e finire in un posto di blocco, può solo scommettere e sperare nella sua buona stella. Deve fermarsi quasi subito, una folla di sostenitori di Erdoğan occupa la strada ascoltando un altoparlante che diffonde un discorso del presidente. Dopo un quarto d'ora riesce a imboccare il ponte, osserva con nostalgia la sua città, le barche che dondolano nel sole, i palazzi sull'acqua, non sa se li potrà rivedere mai più. Quante volte li ha guardati dalle finestre della casa del suo amico Orhan Pamuk, insieme hanno sperato che la deriva della Turchia avesse una fine, invece è sempre peggio. Accende la musica, ci sono i Pink Floyd, cantano *Us and Them*. Gli sembra una coincidenza speciale, i due mondi divisi, «noi e loro», una nazione in cui «loro» preparano la resa dei conti.

A metà del pomeriggio, dopo due ore e mezza di strada, arriva al ponte sull'Evros, il fiume che decine di migliaia di profughi siriani hanno cercato di attraversare in ogni stagione per raggiungere l'Europa. Ferma la macchina, scende, si soffoca per il caldo. Prende dal bagagliaio la bottiglia di whisky e beve due grandi sorsi. Poi la rimette nella borsa e riparte. La testa si affolla di domande: il suo passaporto sarà stato cancellato? Ci sarà un ordine di fermare tutti i giornalisti? Per calmarsi cerca di ripetersi che non ha fatto niente di sbagliato, niente di illegale, ha solo fatto il giornalista. Ma essere una coscienza critica è diventato sinonimo di criminale, terrorista, spia. In una sola parola: un nemico del popolo.

Dal posto di confine di Pazarkule non passa mai nessuno, non ci sono camion né macchine, solo soldati che aspettano. Si ferma, abbassa il finestrino. Anche dall'ufficio arriva la voce di Erdoğan. Viene trasmessa ininterrottamente su ogni radio e in tutti i canali televisivi. Una ragazza in divisa prende il passaporto senza dire una parola, lo guarda, mette un timbro e glielo restituisce. Ci sono voluti meno di due minuti. Adesso è in Europa, è salvo ma è diventato un esiliato. Otto ore di fredda lucidità gli hanno evitato il destino di molti suoi colleghi che affollano oggi le carceri turche.

Riparte, ma si ferma quasi subito in un piccolo caffè greco sulla frontiera. Non ha più bisogno della bottiglia che è nel bagagliaio. Adesso vuole solo un caffè e respirare la libertà.

Mi racconta tutto con lentezza, è attento a ogni dettaglio, non vuole tralasciare nulla. Siamo seduti al tavolo di un ristorante a Perugia, il proprietario è già venuto tre volte per prendere l'ordinazione ma Yavuz, che lo conosce bene, gli fa segno con la mano che non siamo ancora pronti. Ci siamo ritrovati per caso e il caso spesso sa cosa deve succedere. Sono venuto al Festival internazionale di giornalismo, il posto migliore che ci sia oggi per capire il destino dell'informazione, per intervistare Matthew Caruana Galizia, il figlio di Daphne, la cronista uccisa nel 2017 a Malta da un'autobomba. Ho tutto il pomeriggio libero, mi sono concesso il lusso di arrivare con grande anticipo per curiosare e ascoltare.

Guardo il programma del festival e vedo che tra i relatori c'è una delle persone più coraggiose che abbia mai incontrato: Maria Ressa. È filippina e dirige Rappler, un sito di inchieste che denuncia le violenze del regime del presidente Rodrigo Duterte, quello della campagna per eliminare gli spacciatori di droga. Dove eliminare significa esattamente togliere di mezzo per sempre, lasciare mano libera agli squadroni della morte. Il risultato è assicurato: migliaia di cadaveri sulle strade.

Maria è minuta, gentile, oggi è infagottata in una felpa rossa con cappuccio, sorride sempre dietro le lenti spesse degli occhiali, ma non fa sconti: racconta tutto quello che succede. Il presidente ha scelto un giochino di parole per sfregiarla in pubblico: *presstitute*, giocando sull'assonanza con *prostitute*.

La arrestano in continuazione, l'accusano di evadere le tasse, la diffamano sui social, è arrivata a ricevere novanta minacce di morte all'ora, ma appena può prende un aereo e va in giro a raccontare quanto sia preziosa la libertà di parola e di critica. E quanto possano essere micidiali i social network, quando il potere li usa per demolire critici e avversari. Ci ha messo due anni per far rimuovere da Facebook una serie di articoli falsi che la screditavano, poi finalmente è riuscita a incontrare Mark Zuckerberg e, per fargli capire il potere e la responsabilità che ha la sua piattaforma, gli ha spiegato che il 97 per cento dei filippini che naviga su Internet lo fa dentro Facebook. Mi racconta che lui le ha chiesto: «Cosa fa l'altro 3 per cento?». Allora lei lo ha fulminato: «Cerca di tenere viva la democrazia».

Entro nella sala, accanto a lei c'è Yavuz Baydar che mi sorride da lontano. In quello sguardo sereno e malinconico riconosco la persona che accettò di venire a Roma al convegno che organizzai nell'autunno del 2018 quando anche i nostri nuovi potenti cominciarono ad attaccare i giornali e a promettere provvedimenti per metterli in ginocchio. Una deriva che sta inquinando l'Europa, dall'Ungheria alla Polonia, e ha il suo campione dall'altra parte dell'Atlantico in Donald Trump.

Yavuz ha studiato cibernetica e informatica in Svezia prima di diventare giornalista. È stato editorialista e garante dei lettori di due quotidiani turchi, prima «Milliyet» e poi «Sabah». Costretto a dimettersi due volte per le sue critiche al potere, oggi vive a Parigi dove ha fondato Ahval, un sito in turco, arabo e inglese. Raccoglie le storie dei giornalisti licenziati, arrestati, sottoposti a processi per terrorismo e ancora imprigionati. Ne tiene continuamente il conto così come aggiorna l'elenco delle testate costrette al silenzio, che sfiorano quota duecento.

Lo ascolto spiegare come si possa spegnere una democrazia giorno dopo giorno. Alla fine vado a salutarlo e lui mi invita a cena. Mentre camminiamo in quella quinta teatrale medievale che è Perugia mi chiede cosa sto facendo, gli rispondo che sto scrivendo un libro e che si intitolerà *La mattina dopo*. Si ferma di scatto e, come se sapesse già tutto, mi dice: «Quello è il momento determinante. La strada che prendi la mattina dopo che si rompe il tuo mondo spesso decide cosa sarà della tua vita. Io appena ho aperto gli occhi ho avuto un attimo di assoluta razionalità e ho visto che dovevo fuggire al più presto». La sua mattina dopo è stata quella successiva al golpe della notte tra il 15 e il 16 luglio 2016 e alla riconquista del potere da parte di Recep Erdoğan.

La sera prima era da un amico, direttore di un canale televisivo, che abitava sulla sponda europea del Bosforo. Dopo cena si erano seduti sul balcone per godersi un filo di brezza con un bicchiere di vino. Alle dieci ricevette il messaggio di un collega che lo metteva in guardia: «Sta succedendo qualcosa di strano». «Cosa?» «Un gruppo di soldati ha bloccato il lato asiatico del ponte sud sul Bosforo e grida alla gente di tornare a casa perché è stato dichiarato il coprifuoco.» L'amico era scettico, gli sembrava impossibile un colpo di Stato in un venerdì sera d'estate, ma mentre coltivava dubbi Yavuz aveva già il casco in testa e stava correndo per le scale a prendere il motorino. Dopo dieci minuti era nel mezzo del caos di fronte ai soldati. Capì subito che sarebbe rimasto bloccato lì, allora girò lo scooter e puntò verso il ponte nord sperando che quello fosse ancora aperto. La città era in preda al panico. Riuscì ad attraversarlo e poi puntò di nuovo verso sud per arrivare all'epicentro del golpe. Cominciarono gli spari, due F-16 passarono sopra la sua testa e allora non ebbe più dubbi: bisognava rifugiarsi in casa.

Appena entrato accese la televisione e chiamò suo figlio a Parigi, gli disse di non prendere l'aereo per tornare a Istanbul la mattina dopo. Gli spari e le esplosioni si moltiplicavano nell'incertezza più totale, poi alla Cnn turca apparve Erdoğan che, collegato in video attraverso uno smartphone, chiamava i cittadini alla mobilitazione. La tecnologia spiazzò i militari golpisti e le strade si riempirono di manifestanti che cominciarono a scandire «Allah u Akbar», gli altoparlanti delle moschee iniziarono a diffondere preghiere. La religione si era schierata con il Sultano e lo avrebbe salvato.

Prima dell'alba gli fu chiaro che nella tenaglia tra l'esercito sconfitto e gli imam vittoriosi sarebbe stata stritolata la società civile, la libertà di critica e la stampa libera.

Si addormentò sfinito all'alba e quando aprì gli occhi tutto gli parve certissimo.

Quando fu al sicuro in Grecia cominciò a telefonare agli amici più cari ma soprattutto a un vecchio collega che era in vacanza sull'Egeo e che a lui sembrava particolarmente fragile e a rischio. Gli disse di prendere subito una nave, di fare in fretta e portare tutta la famiglia in salvo. L'amico rispose che ci avrebbe pensato, ma sembrava scettico, sperava che le cose si aggiustassero e si chiedeva perché mai e con che accusa avrebbero dovuto arrestarlo. Yavuz non riuscì a dormire nella sua prima notte europea, non si dava pace per quelli che erano rimasti, li vedeva già nelle carceri del regime. La mattina dopo riprese il suo giro di telefonate, l'amico era ancora scettico. Alla terza chiamata cominciò a insultarlo ma niente sembrava smuoverlo dalla sua pigrizia, dalla sua illusione di normalità. Saprà solo qualche giorno più tardi di aver fatto breccia, la famiglia si era imbarcata poco dopo la sua telefonata ed era anche stata presa dal panico quando l'altoparlante del traghetto aveva annunciato che la partenza sarebbe stata rinviata per un'ispezione di polizia. Solo qualche ora più tardi, in mezzo al mare, si erano lasciati andare a un lungo abbraccio e alle lacrime.

Adesso che ha finito di raccontare finalmente possiamo cominciare a cenare, ma prima vuole essere sicuro che abbia chiare tutte le sue parole. Anche lui sta scrivendo un libro, memorie di una fuga e di un esilio, uscirà in Germania. Promette di mandarmi i suoi appunti e il primo capitolo, così che io possa avere ogni particolare. È notte quando usciamo e cominciamo a camminare, conservo il ricordo di questa cena come un dono prezioso. Esistono rari momenti in cui una persona si apre e ti consegna le sue memorie, le sue speranze e le sue delusioni.

L'Europa è stata la sua salvezza, ma l'Europa è la sua delusione: «Ha scelto un silenzio complice» mi dice scuotendo la testa. «Per non ricevere più profughi dalla Siria, in nome del blocco della rotta balcanica ha chiuso gli occhi sulle migliaia di oppositori incarcerati.» Gli chiedo cosa gli manchi di casa sua e se spera un giorno di tornarci. Alla seconda domanda per scaramanzia evita di rispondere e mi parla soltanto del fascino delle Isole dei Principi, nel Mar di Marmara, dove i bizantini ma anche gli ottomani imprigionavano i più nobili tra i nemici. Mi parla delle case di vacanza ottocentesche dell'alta borghesia, dei profumi nell'aria, di un piatto particolare della sua infanzia e poi della brezza che d'estate spezza l'afa.

Non riesco nemmeno a immaginare che sapore possa avere la nostalgia per chi vive in esilio.

X

L'ultimo regalo

È arrivato il tempo giusto per ricostruire la storia di quei due quadri che la nonna ha fatto incartare e che ho trovato accanto alla porta dopo averla salutata per l'ultima volta. So di che cosa si tratta, per anni ho visto quelle due pergamene incorniciate nel suo studio. So che parlano di suo padre, Carlo Tessa, operaio per molti anni alla fabbrica Diatto, poi capofficina alla Fiat: nel 1926 deve lasciare il lavoro perché insiste nel suo rifiuto di prendere la tessera del partito fascista. I due quadri sono l'omaggio di operai e dirigenti al coraggio di non uniformarsi al regime.

«Devono tornare a casa a Torino,» mi ha detto «li devi mettere in ufficio, ti devono ricordare di avere sempre la schiena dritta e di saper anche dire di no.» Li ho appesi accanto alla scrivania al giornale e lì sono rimasti per tutto il tempo in cui sono stato direttore della «Stampa».

Carlo Tessa era un ragazzo di collina, sarebbe stato destinato a fare il prete, come i suoi fratelli, ma venne rapito dal fascino delle macchine e della modernità e abbandonò il seminario. Era nato a Giaveno, in alta Val Sangone, nel 1887, il padre Giovanni era uno scultore del legno, la madre Maria Gioana aveva uno di quegli empori dove si vendeva di tutto: zucchero, caffè, frutta, formaggi, carta, matite, prodotti di merceria e calendari.

Un paio di volte sono stato al paese da bambino, ora ci torno a cercare le tracce e trovo subito quelle di suo padre: le porte della chiesa sono ancora quelle intagliate da lui sul finire dell'Ottocento e così il pulpito con gli angeli che lo sostengono. A uno di questi angioletti, Carlo tagliò il naso con un temperino, mostrando di essere il ribelle di una famiglia molto religiosa e chiusa.

Prima di cominciare il mio viaggio vado a trovare una memoria vivente, zia Gianna, sorella minore di mia nonna, lucidissima e brillante nei suoi 90 anni mi indica tutte le coordinate necessarie. Mi racconta che Carlo aveva tre fratelli e quattro sorelle, ma era l'unico a essersi sposato. Due dei maschi erano preti, le quattro femmine erano una sorta di suore laiche, vestite di nero, che hanno vissuto sempre insieme nella casa di famiglia. «Una delle sorelle, la zia Agnese, la seconda...» Gianna ha appena cominciato a spiegare ma si interrompe subito, come se le sue parole potessero ancora disturbare qualcuno. «Non so se si può dire, al tempo non ne potevamo parlare, ma forse ormai è passato talmente tanto tempo che posso raccontarti la storia della zia Agnese che viveva al primo piano della casa. Non usciva mai e nemmeno scendeva, stava sempre nella sua stanza. Io pensavo fosse malata, invece stava benissimo e lavorava: faceva la giornalista. Scriveva per una rivista locale, soprattutto articoli culturali che le sorelle si incaricavano di portare alla redazione.

«Solo anni dopo ho saputo la verità: da ragazza aveva avuto una storia d'amore con un uomo sposato, quando i genitori lo scoprirono lo scontro fu drammatico, tanto che le proibirono di vederlo. Lo scandalo andava nascosto e superato. Lei provò a resistere, ma non ci fu nulla da fare, così disse che se non l'avessero lasciata uscire per vederlo, lei non avrebbe mai più varcato la porta di casa per tutta la vita. E così fece. Uscì da quella porta solo per l'ultimo viaggio, quello verso il cimitero di Giaveno.»

Carlo da ragazzino, finita la scuola, faceva le consegne per il negozio della madre. La cliente più illustre era la marchesa Maria Teresa Marchini. Viveva in un grande palazzo, circondato da un maestoso giardino con giochi d'acqua e una cascata che poi regalò al Comune, e aveva il piccolo Carlo in simpatia.

Un giorno d'estate del 1901 lei lo vide arrivare con la spesa, lo chiamò e gli presentò il suo ospite: il senatore Giovanni Agnelli. Carlo, che stava facendo il ginnasio nel seminario arcivescovile come i suoi fratelli, aveva appena visto all'ingresso l'auto, la prima che incontrava nella sua vita. Ne fu stregato, si fece coraggio e chiese che cosa avrebbe dovuto fare per costruire le macchine. Agnelli gli consigliò di fare studi da perito e di andarlo a trovare quando avesse finito. In paese c'era un ingegnere illuminato che aveva donato la sua casa per fare una scuola di disegno tecnico. Carlo riuscì a convincere i genitori che i voti religiosi non facevano per lui e si fece iscrivere alla scuola da perito tecnico industriale.

Nel 1905, appena compiuti 18 anni, si trasferì a Torino e non ebbe bisogno di andare a cercare Giovanni Agnelli: il lavoro era ovunque, la città era in vorticosa trasformazione, ogni giorno apriva una nuova officina e cominciava la sfida tra la carrozza e l'auto. In quel primo decennio del Novecento in centro c'erano ancora dieci negozianti di cavalli, venticinque maniscalchi e ben trentaquattro «affitta cavalli e vetture». Alla fine della Grande Guerra saranno la metà. Carlo venne subito assunto alla Diatto, fabbrica che costruiva carrozze per treni e tram, ma che stava per lanciarsi anche nella produzione di automobili sportive.

Cerco di immaginarmi come potesse essere fatto quel ragazzo, le foto che trovo sono solo quelle di un uomo anziano con il cappello in testa e sono in bianco e nero.

All'Archivio di Stato di Torino, però, nei registri relativi al servizio di leva, trovo la sua scheda e quel foglio di un secolo fa, compilato da funzionari del Regno, mi racconta quello che non so. Gli archivi sono una cosa meravigliosa, tutte le storie dei nostri antenati sono lì che dormono, aspettando che qualcuno vada a svegliarle. Gli archivi sembrano stanze polverose, invece sono pieni di vita. Eccolo Carlo, descritto dalla calligrafia corsiva sottile e svolazzante del tempo: era piccolo di statura, alto 1 metro e 61, aveva una circonferenza toracica di 78 centimetri, gli occhi e i capelli erano castani, il colorito era pallido e la dentatura «guasta». Ma sapeva leggere e scrivere e aveva un mestiere: meccanico. Scopro che riuscì a evitare di andare al fronte nella prima guerra mondiale perché lavorava in un settore strategico, quello della costruzione delle vetture ferroviarie. Ha avuto la fortuna di rimanere a casa dove era appena diventato padre di mia nonna.

La fine della guerra e l'influenza spagnola lasciarono una scia di morte e di malessere che sarebbe esploso a breve, prima nelle contestazioni in fabbrica del biennio rosso poi nella nascita del fascismo e nella presa del potere di Mussolini.

Mia nonna ricordava perfettamente quegli anni, le quattro zie che morirono in un mese per la spagnola, le tensioni politiche e i costi sociali della guerra: «Alle elementari» mi raccontò «avevo una maestra bravissima che aveva perso il marito in guerra ed era rimasta vedova con una figlia. Poi si era risposata con un professore di matematica che faceva volontariato al Castello di Moncalieri, trasformato in un ospedale per grandi invalidi.

«Erano persone che avevano rinunciato al nome e all'identità perché erano gravemente menomate. Ufficialmente erano state dichiarate disperse, ma nella sostanza rifiutavano di tornare nella società e nelle famiglie. La maestra una volta accompagnò il nuovo marito, doveva essere il 1924 perché io facevo la classe quarta, e si trovò di fronte il primo marito. Quasi svenne vedendolo: non aveva più le gambe e il torso stava adagiato in un cesto. Lui prese coraggio e le disse che voleva restare lì, quella era la sua casa da sei anni, da quando la guerra era finita e lui era uscito dal mondo. La donna rimase sconvolta tanto che raccontò tutto alle madri delle sue alunne. Per anni la maestra e il professore andarono a trovarlo ogni domenica, a Pasqua e a Natale».

Proprio nell'ultimo anno di guerra, nell'autunno del 1917, la Fiat acquisì la Diatto e creò il suo polo ferroviario. Carlo, che aveva appena compiuto 30 anni, era diventato da poco capofficina e con il passaggio aveva conquistato il diritto di trasferirsi con la famiglia al primo piano di una villetta dell'azienda. Mia nonna ricordava esattamente il profumo di una grande pianta di glicine che si arrampicava sul balcone, ma anche la paura che arrivò in casa pochi anni dopo – siamo alla fine dell'estate del 1920 – con le rivolte operaie e l'occupazione della fabbrica. Carlo era un convinto anticomunista, aveva idee liberali ed era contrario all'occupazione, la loro villetta venne presa di mira, prima con sassate alle finestre poi con colpi di fucile. Per molte notti dormirono con i materassi stesi in corridoio per non correre rischi.

La situazione tornò alla normalità ma presto si presentò una nuova ideologia che pretendeva adesione totale, il fascismo. Carlo non ne voleva sapere, ogni sera a casa ripeteva «non voglio essere intruppato» e ai colleghi dirigenti che si stupivano non aderisse al fascismo «portatore di ordine» rispondeva che essere anticomunisti non significava essere fascisti, così come, per essere antifascisti, non era necessario essere comunisti. Era talmente convinto delle sue idee che rifiutò di prendere la tessera, nonostante gli avessero fatto capire che quella anomalia non sarebbe stata tollerata ancora per molto.

Nel 1925 nella parte ferroviaria della Fiat c'erano due capiofficina, uno per la produzione ferrosa – Carlo – e uno per il legno e le materie plastiche. Quest'ultimo era bolognese, fascista della prima ora, sapeva che Carlo non era iscritto e un giorno di fine ottobre decise di denunciare la cosa al partito: «Non è possibile che uno che non ha la tessera comandi tanti operai». La direzione torinese del partito andò da Giovanni Agnelli e ne chiese il licenziamento.

Carlo venne convocato la mattina dopo. La trascrizione del loro colloquio è quella che mia nonna recitava a memoria. Allora lei aveva 10 anni e rimase sconvolta dal discorso che il padre fece a tavola, la sera, concludendo con l'annuncio che insieme al posto di lavoro avrebbero perso anche la casa.

Quel colloquio si svolse in piedi e fu molto veloce. Il senatore gli disse: «Ti devo chiedere una cosa, ma so già cosa mi risponderai: vuoi prendere la tessera del fascismo?». Lui, che se lo aspettava, rispose: «No, e ho capito che me ne devo andare». Allora Agnelli a sorpresa gli disse: «Non posso tenerti ma ti conosco da venticinque anni, so come lavori, apri una tua azienda e io ti darò lavoro, diventerai un fornitore della Fiat». «Non me lo posso permettere: lei paga dopo due o tre mesi e io non ho abbastanza soldi per far partire l'attività, comprare i materiali e pagare lo stipendio agli operai.» «Non è un problema: comincia pure, fai la fattura alla fine del primo mese e il direttore te la visterà personalmente, così vai alla cassa e te la pagano subito.»

Carlo quella sera è sconvolto, sa che entro un mese sarà fuori dalla fabbrica e fuori di casa, ma insieme sente l'orgoglio di non aver piegato la testa e l'adrenalina che gli provoca l'idea di diventare imprenditore.

Va a parlare con il direttore della divisione materiale ferroviario, l'ingegner Guido Rubic, un uomo storico dell'azienda, che trent'anni dopo verrà premiato da Valletta con la medaglia d'oro per la fedeltà al lavoro. Trova in lui un alleato che gli spiega come aprire una sua officina e gli fa riservatamente da consulente. Tanto che prima ancora di uscire dalla Fiat ha già registrato le Martellerie Carlo Tessa, l'atto fondativo porta la data del 6 novembre 1925.

La mattina di lunedì 30 novembre c'è il sole, ma un vento gelido tiene la temperatura sotto lo zero. Carlo entra per l'ultima volta nell'ufficio che divide con l'altro capofficina, guarda le due scrivanie, i tre tavoli da disegno con i cavalletti, gli scaffali con tutti i progetti e svuota il piccolo armadio guardaroba in cui teneva i vestiti di ricambio. Riempie una borsa e si congeda.

Al Lingotto proprio quel giorno si svolge la premiazione degli operai più fedeli, il fascismo è riuscito nell'operazione simbolica di far cacciare chi rifiuta di prendere la tessera nell'esatto momento in cui si appuntano le medaglie ai meritevoli. È un segnale necessario per il regime, sono passate poche settimane dalla visita di Mussolini in Piemonte e gli operai lo hanno accolto con un fragoroso silenzio, tanto che il duce si sente in dovere di precisare, cercando di mascherare il fastidio: «Si dice che il Piemonte è stato freddo. Non è vero. Il Piemonte è serio. Si è detto che il Piemonte non è fascista. Altro errore». Da quelle parti Mussolini però non lo si vedrà più fino a metà degli anni Trenta. I suoi gerarchi schiumano di rabbia e pensano immediatamente che il gelo della fabbrica vada punito.

Quella mattina per i capiofficina fascisti è un giorno lieto. Carlo invece varca il cancello da solo. Fuori, però, trova la prima sorpresa, una dozzina di operai lo sta aspettando. Si sono licenziati. Lo abbracciano. Andranno a lavorare con lui.

Fanno insieme pochi passi e arrivano alla panetteria di fronte alla fabbrica, e qui Carlo non può credere ai suoi occhi. In vetrina sono esposte due pergamene. La prima è alta un metro, tutta dipinta a mano. In alto, in un piccolo tondo, riconosce la sua foto, con la camicia bianca e la cravatta, i baffi e la stempiatura. A reggere il suo ritratto sono due donne, dipinte come muse ispiratrici. Sullo sfondo la fabbrica con le ciminiere che fumano, simbolo di progresso. Sotto c'è una grande scritta: «A Tessa Carlo, gli operai della Diatto-Fiat affezionati al loro capo officina», seguono 299 nomi. I primi sono di due fratelli, Filippo e Luigi Alloi, l'ultimo è Zammerini Ezio. Fuori tempo massimo se ne erano aggiunti due che sono scritti a lato, Vota Maurizio e Cora Attilio. Il disegnatore a cui hanno affidato la realizzazione ha fatto un lavoro certosino, da monaco amanuense, ha trascritto ogni nome e la prima lettera l'ha colorata in rosso.

È un messaggio fortissimo. Duecentonovantanove operai mettono la loro firma in vetrina, una firma di solidarietà e dissenso.

Ma non sono solo gli operai. Accanto c'è una seconda pergamena, più piccola e orizzontale, quella dei dirigenti: «A Carlo Tessa, che per venti anni dedicò il suo forte ingegno e la sua impareggiabile attività alla direzione dell'officina, i tecnici della Fiat sezione materiale ferroviario memori offrono». Qui ci sono 22 firme e la data: Torino, 30 novembre 1925. È più sobria e formale, intorno alla scritta e alle firme è disegnata una cornice che vuole essere un monumento, con fiori e ghirlande. Ai lati, seduti sulla cornice, due putti con il martello in mano, impegnati a fare gli ultimi ritocchi.

Il giorno che doveva segnare la sua fine segna invece un nuovo inizio. Farà fortuna, aprirà una piccola officina e le commesse non mancheranno. Nell'Archivio Storico della Fiat, che si trova nell'edificio della prima fabbrica, in mezzo a sei milioni di immagini e a cinque chilometri di documenti trovo il suo nome già nell'inventario del 1925, questo significa che l'ingegner Rubic e il senatore Agnelli mantennero la parola e lo fecero lavorare fin dal primo mese come fornitore. Nel 1929 le commesse hanno un valore sei volte superiore all'anno precedente. Nel 1932 Carlo apre una fabbrica più grande, con 50 operai, nello spazio che oggi è occupato dalle opere d'arte della Fondazione Sandretto Re Rebaudengo. (Ignaro di dove fossi, esattamente ottant'anni dopo avrei organizzato in quello spazio una mostra sulle campagne elettorali americane.) Poco lontano, in via Limone, costruisce una nuova casa dove vivere con la famiglia.

Il suo antifascismo è lucido e lungimirante, è convinto che il regime farà la guerra e ripete: «Una dittatura prima o poi si fa sempre prendere dalla voglia di conquista e di espansione e Mussolini ci porterà in guerra». Così nel 1938 arriva a casa con tre biciclette per le figlie, la più grande Maria – mia nonna – ha 23 anni, Rosa, la seconda, ne ha 15 e Gianna 10. Sono un lusso. Gianna ricorda perfettamente il momento e la raccomandazione: «Ci disse che dovevamo imparare subito a usarle bene e ad andare veloci, per essere autonome quando sarebbe scoppiata la guerra. Gli risposi che avevamo l'auto, una delle poche allora, ma lui rispose: "In macchina non ci lasceranno andare, queste bici saranno la vostra salvezza"».

Organizza tutto, senza paura ma con metodo, a costo di sembrare ossessionato, insieme alla guerra prevede la crisi e il razionamento del cibo, così compra una cascina al confine tra la provincia di Torino e quella di Cuneo, con un grande orto, le galline e alberi da frutta. Ci sono mele, pere, pesche e anche un bellissimo albero di cachi che è una rarità.

Poi all'inizio del 1939, con i soldi guadagnati in quel decennio, affitta un magazzino e lo riempie di lamiere di rame. Le lascia lì per tutta la guerra, prevedendo che quello poi sarebbe stato il suo tesoro. Nel 1942 perde la casa per i bombardamenti e nell'estate successiva anche la fabbrica viene completamente distrutta dalle bombe inglesi. La famiglia si ritira nella cascina in campagna. Alla fine della guerra Carlo apre il magazzino e, in tempi di penuria di materie prime, in pochi giorni vende tutto. Il valore delle lamiere si è moltiplicato e con quei soldi ricostruisce la fabbrica nel cuore del quartiere San Paolo. Il dopoguerra è un periodo meraviglioso di ritorno alla vita, Carlo prende subito la commessa per una parte del telaio della Vespa e qualche anno dopo anche per la Lambretta, a metà degli anni Cinquanta produce parafanghi e cofani della Fiat 600. I dipendenti raddoppiano, diventando un centinaio.

Guida la sua azienda per trentasette anni, fino al giorno dell'Immacolata del 1962. Nel tardo pomeriggio, verso le 18, esce a fare una passeggiata, c'è molta nebbia ma vuole comprare una colonia e cercare dei regali per Natale. Non tornerà più a casa. Sulla «Stampa» del giorno dopo, a pagina 2 c'è una sua grande foto con il titolo: *Venti automobilisti si sono rifiutati di caricare la vittima di un incidente*. Il sommario spiega: «Dopo un quarto d'ora uno si è fermato. Il ferito, un industriale di 75 anni, è morto appena giunto in ospedale».

Era stato investito da una Fiat 500 mentre attraversava sulle strisce, scaraventato sull'altro lato della strada aveva picchiato violentemente la testa. La sua avventura umana era finita. Lo seppellirono a Giaveno, nella tomba di famiglia insieme ai genitori. L'investitore non era assicurato, gli tolsero la patente e per ottenere un risarcimento andava denunciato. Prima di fare una causa, però, le tre figlie volevano capire chi avesse ucciso il loro padre. Volevano parlargli. Lo trovarono: abitava in una casa di ringhiera in periferia, quando la moglie aprì la porta videro una situazione penosa: miseria e squallore e due bambine piccole. Capirono che non c'era niente da fare, inutile chiedere compensazioni a chi già era sul lastrico, nessun risarcimento avrebbe restituito loro il padre, meglio lasciar perdere. La fabbrica venne portata avanti dalle figlie e dai loro mariti per altri trent'anni, fino al 1993, poi fu venduta. È stata chiusa definitivamente nel 2013.

Recupero l'indirizzo e vado a vedere cosa sia rimasto. La fabbrica è ancora lì, reperto industriale in mezzo ai palazzi, di fronte al supermercato Bennet. È deserta, ha qualche vetro rotto, ma si mantiene bene. Sembra una balena spiaggiata. Ogni tanto la zia Gianna, che è nata tre anni dopo il licenziamento dalla Fiat ed è l'ultima rimasta di questa storia, passa a guardarla, a ricordare il mondo del Novecento.

Cosa voleva dirmi mia nonna? In quell'ultimo incontro, pochi giorni prima della sua morte, mi ha consegnato due delle sue memorie più preziose e ha seminato in me la curiosità di custodirle e di recuperarle. La prima è la storia della vigna perduta, la seconda sono le due pergamene incorniciate che ho trovato accanto alla porta.

Mi chiedo perché mi abbia dato queste due storie. A lungo ho pensato fosse un caso, legato al fatto che ero l'unico dei suoi nipoti a essere tornato a Torino. Ma quando ho ripreso in mano il taccuino di quelle lunghe chiacchierate in montagna e ho cominciato la mia ricerca negli archivi tutto è diventato improvvisamente chiaro: le due storie camminano insieme ed è dal loro incrocio che è nata mia nonna. Sua madre Maria, infatti, era la figlia del produttore di vino arrivato dal Roero, la ragazza che lo aiutava nella trattoria, suo padre Carlo era invece uno degli operai della fabbrica lì di fronte.

Senza la somma di queste due storie, ora mi è evidente, non ci sarebbe stata lei e non ci sarei io. Ma queste due vicende sono anche quelle che hanno plasmato la sua idea della vita, del mondo, dei valori fondamentali, quelle che le hanno lasciato insegnamenti e rimpianti. In entrambe c'è più volte il momento della fine, quello in cui l'equilibrio si rompe, ma ogni volta il giorno dopo impone di fare i conti con la nuova realtà e di ripartire diversi. Una sola cosa le sembrava rimasta senza soluzione e forse viveva come ingiusta, ed era la perdita della terra, che era coincisa con la sua nascita. Per questo ha sperato che io riuscissi a ricucire quel filo.

Rimaneva ancora un dettaglio da mettere in ordine: come si erano conosciuti quei due ragazzi, Maria e Carlo? Non esiste archivio che sia in grado di dirmelo, mi rassegno a non saperlo, ormai il libro è finito. Poi, traslocando le mie carte da Roma, apro una cartellina di appunti e trovo tre fogli che non ricordavo, scritti con il pennarello nero, portano la data 6 dicembre 1999. Ecco la storia del loro amore e delle cipolle ripiene.

Si conoscono nella trattoria sul Lungo Po, hanno entrambi vent'anni. Lui va lì a mangiare tutti i giorni e le fa la corte ma lei lo rifiuta. Le sembra un ragazzino sbarbato, con il viso da bambino, e glielo dice in faccia. Lui si offende e per un paio d'anni non si vedono più. Quando la fabbrica e la trattoria si spostano, lui si ripresenta con un bel paio di baffi rossi ma non la degna di uno sguardo, nel frattempo ha fatto carriera e nessuno lo considera più un ragazzino. Lei lo nota e per riaprire il discorso si ricorda che il suo piatto preferito erano le cipolle ripiene. Va al tavolo, prende l'ordinazione e poi gli porta un piatto di cipolle senza che lui le abbia chieste. Gli altri commensali chiedono di averle anche loro e lei risponde: «Il signore le aveva ordinate molto tempo fa». Si sposarono quattro anni dopo, sono stati felici insieme per cinquant'anni.

Tra le pagine trovo un piccolo foglietto, stretto e lungo, con la ricetta che la nonna mi lasciò per fare le cipolle ripiene come sua madre.

> Prendi 10 cipolle bianche o bionde, chiedi le più dolci. Sbucciale, taglia le due estremità affinché diventino piane, circa due centimetri per parte. Le metti a lessare in acqua bollente, salata, per un quarto d'ora. Vanno

scolate con grazia quando sono ancora un po' durette. Lasciale freddare su un piano inclinato.

Quando sono fredde le sfogli partendo dai dischi interni. Gli anelli che restano interi, che serviranno come gusci per il ripieno, li disponi in una teglia imburrata.

Poi fai il ripieno con i dischi di cipolla rotti e gli angoli che avevi tagliato, con un avanzo di arrosto di circa 2 etti e mezzo, con 2 etti e mezzo di prosciutto cotto, due uova intere, prezzemolo, qualche foglia di basilico, poco sale, pepe e noce moscata.

Trita ogni ingrediente separatamente e poi mescola tutto insieme in una terrina. Con questo ripieno riempi gli anelli di cipolla. Guarda che siano ben colmi e sopra facciano una montagnola. Su ognuno metti un fiocchetto di burro.

In una tazza sbatti bene due uova intere con molto parmigiano e un po' di latte. Versa questo composto sopra tutte le cipolle, che devono risultare ben innaffiate.

Cuoci per 45 minuti in forno a 180 gradi.

XI
La lezione del tempo lento

Il sogno che faccio tutte le notti diventa meno frequente e alla fine scompare. Quasi senza accorgermene mi sono abituato a vivere fuori dal ritmo del giornale e senza l'adrenalina delle notizie. Mi pareva impossibile che potesse accadere, invece respiro, penso e progetto.

Se guardo indietro e scorro il calendario mi sembra un imbuto capovolto. All'inizio le giornate erano soffocanti, mi tenevo stretto per non perdermi, poi piano piano lo sguardo ha cominciato ad allargarsi.

C'è un libro che ho amato e riletto continuamente in questo periodo, è di un anziano giornalista americano che si chiama Robert Caro e si intitola *Working*. Parla del suo metodo di lavoro come scrittore di biografie: con quella in quattro volumi sul presidente americano Lyndon Johnson ha vinto il premio Pulitzer. Spiega come l'approfondimento e la cura dei dettagli siano fondamentali. Dice cose totalmente fuori moda in questo tempo in cui tutto deve essere istantaneo, veloce e in cui passato e futuro sembrano aver perso valore.

Racconta la lezione del suo primo caporedattore quando era un giovane giornalista e cominciava a fare le inchieste. Una lezione che lo ha tormentato tutta la vita: «Ricordati solo una cosa: leggi ogni pagina, non dare nulla per scontato, leggi ogni dannata pagina». Dico «tormentato» e non «stimolato» perché Robert Caro ha preso talmente sul serio il consiglio da andare a vivere per tre anni con la moglie in una remota zona del Texas per essere credibile nello scrivere un capitolo sulla giovinezza politica del presidente Johnson. Oppure da scegliere di abitare per sei mesi in un caseggiato del Bronx mentre lavorava alla biografia di Robert Moses, l'uomo che ha cambiato il volto di New York nel Novecento con le superstrade, i ponti, i tunnel e i parchi. Voleva capire cosa significasse davvero il «costo umano del progresso». Individuò un gruppo di palazzi accanto ai quali era stata costruita una nuova autostrada e ci passò sei mesi, intervistando i cittadini e vivendo con loro, immergendosi nella realtà di chi aveva visto la casa perdere di valore, l'aria cambiare, il rumore aumentare. Sei mesi per un breve capitolo.

Naturalmente nessuno glielo aveva chiesto, nessun editore e nemmeno nessun lettore. Così come nessuno chiede a un medico di essere più scrupoloso, a un insegnante di finire il programma scolastico o a un sindaco di fare la manutenzione della sua città. Allora perché dovremmo fare le cose per bene, con grande cura, se nessuno ce lo chiede, se farle in fretta sembra l'unico valore?

Mi viene solo una risposta: per noi stessi. Che gioia si prova – non vorrei sembrare esagerato, ma per me si tratta veramente di gioia – quando si incontra qualcuno davvero competente. Un medico che non inizia a scrivere la ricetta senza nemmeno averti visitato ma continua a fare domande per accumulare indizi, come fosse un detective che deve risolvere un caso, e poi finalmente, dopo anni in cui nessuno lo aveva fatto, capisce a cosa sei allergico. Un artigiano che ripara qualcosa in modo accurato e intelligente, e capisci che non lo dovrai richiamare dopo una settimana. Oppure una guida alpina che, contro il suo interesse, ti spiega perché devi restare a casa e ti dimostra cosa sono esperienza e saggezza. Potrei aggiungere, ma è troppo facile, quando si incontra un politico o un ministro che sa di cosa parla e ha calcolato le conseguenze dei suoi annunci.

Questo mio tempo lento, dopo anni passati a rincorrere le notizie, ha avuto una conseguenza magica, l'occasione di riscoprire la pazienza e il gusto di arrivare in anticipo. Imparare ad attendere e ad apprezzare la competenza e il ritmo naturale delle cose. Mi riconcilia con la profondità e la lentezza e mi fa fare pace con il telefono silenzioso.

Ho sempre vissuto facendo elenchi, di cose da fare, persone a cui telefonare, appuntamenti. Se apro ogni cassetto, ogni zainetto, ogni tasca di una giacca o di un giubbotto, so che ne troverò almeno uno. Li facevo ogni domenica sera per la settimana successiva e ogni mattina dopo aver fatto la barba. Ora ho smesso, penso che le cose che mi stanno a cuore me le devo ricordare, non le devo affidare a un foglio.

Mezz'ora dopo il tweet in cui spiegavo che avrei lasciato la direzione del giornale mi è arrivata una mail inaspettata, da un uomo che è famoso per il suo vino e che avevo incontrato solo un paio di volte. «Caro Calabresi, la ringrazio per il lavoro svolto a "Repubblica". Adesso che avrà un po' più di tempo libero per sé, non dimentichi la promessa che mi aveva fatto di venire a farci visita a Barbaresco, l'accoglieremo con la banda e i tappeti rossi. Con affetto, Angelo Gaja.»

Un messaggio così affettuoso non si può non accogliere e così ci diamo appuntamento per metà maggio. Quando si va a trovare una celebrità del vino, ci si immagina di andare in cantina, di fare assaggi, di parlare di botti e di vendemmie, invece non succederà niente di tutto questo. Con quest'uomo pieno di energia e passione, che non dimostra per nulla i suoi quasi 80 anni, farò un viaggio nei rimedi contro il riscaldamento climatico e alla scoperta dei luoghi di Fenoglio e del suo partigiano Johnny.

Angelo Gaja è in continuo movimento, vede il mondo e il clima che cambiano e pensa che non si possa stare fermi: «Il problema è evidente, le temperature sono decisamente più alte, le vendemmie sempre più anticipate e bisogna intervenire subito». Per correre ai ripari e proteggere le sue vigne si è rivolto all'università e lavora con botanici, geologi ed entomologi. I problemi si sono moltiplicati, l'erosione del suolo dovuta alla violenza delle piogge, la terra che si inaridisce, il sole che brucia i grappoli.

I rimedi che prova sono tutti naturali. Dopo la vendemmia semina tra i filari orzo, segale e grano saraceno, le loro radici mantengono compatto il terreno, poi a giugno fa la mietitura e lascia tutto a terra per proteggere il suolo e tenerlo umido. La controindicazione sono i piccoli topolini, ma li considera parte della campagna. Lascia le foglie intorno al grappolo per ripararlo dal sole e riempie i vigneti di fiori.

Mi carica in macchina e mi porta a vedere i colori: si ferma di fronte alle più famose vigne di nebbiolo e mi mostra i fiori gialli della senape. «I vecchi contadini lo sanno che bonifica e pulisce il terreno e poi porta api e calabroni, riempie di vita la vigna. Sto ricoprendo tutto di fiori, portano una musica di insetti e un moltiplicarsi di farfalle e mi sono convinto che anche la vite in un ambiente più sano possa vivere meglio. Non ho certezze ma molte speranze.» Mentre parla, in mezzo alle piante di senape corrono due lepri. Ha messo anche le api tra i filari, cita Einstein – «se muoiono le api scompare la vita sul pianeta» – e mi spiega che è arrivato a ottantadue alveari.

Però guarda lontano e si è messo a comprare terreni ad altezze dove non ha mai fatto il vino, sotto l'Etna e nell'Alta Langa, sopra i 700 metri. È convinto che il futuro del vino sarà nelle terre alte.

Andiamo a vedere il suo ultimo acquisto, la terra intorno alla Cascina Langa, quella dove Beppe Fenoglio nascondeva il suo partigiano Johnny. Camminiamo lungo il bosco dei partigiani e arriviamo fino alla lapide che ricorda sette contadini fucilati dai nazifascisti nel novembre 1944. Tre avevano solo 16 anni. La loro colpa era di essersi nascosti nel bosco. Uno, Michele Rivera, è morto insieme ai suoi due fratelli di 18 e 20 anni.

Era dai tempi dell'università, quando scelsi Fenoglio per l'esame di letteratura italiana, che desideravo camminare su questi percorsi, anche questo viaggio nella storia aveva trovato il suo giorno.

La pazienza e questo libro sono stati la mia cura, ho passato giorni a cercare i dettagli delle storie familiari, ho alzato gli occhi e ho visto quanto mutevole sia il cielo, quante forme prendano le nuvole, non me ne ero mai accorto. E mi piace riannodare fili e chiudere pagine aperte da troppo tempo.

Uno dei primi giorni che ero a Roma, appena diventato direttore di «Repubblica», chiamarono in segreteria due fratelli, Bruno e Romano Sgueglia, titolari di una piccola libreria giuridica dalle parti di Santa Maria Maggiore, nel quartiere Monti. Dicevano di essere stati amici di mio padre ai tempi del liceo e dell'università, quando era solo Gigi e non il commissario Luigi Calabresi. Mi ero ripromesso di andare a trovarli una decina di volte ma avevo sempre rimandato. In fondo all'elenco delle cose pratiche da fare una volta uscito dal giornale – dalla voltura della bolletta del telefono alle pratiche dell'Inps – avevo scritto: «Ricordarsi di andare a trovare i fratelli Sgueglia».

Quando sono entrato nella loro libreria, sono stati così felici che mi è dispiaciuto non averlo fatto prima. Mi hanno raccontato di mio padre ragazzo, dei libri che gli prestavano quando studiava legge all'università, del lavoro che faceva dopo la scuola nel negozio di suo padre Paride, detto Paris da tutti gli abitanti del quartiere.

Ho scoperto cose che non sapevo, ma soprattutto quel nonno di cui ho solo un vago ricordo. Aveva anche lui una mescita di vini, era nato nella campagna laziale mentre finiva l'Ottocento e a 15 anni si era imbarcato per migrare in America. Era arrivato a Chicago, dove spaccava e trasportava blocchi di ghiaccio, era un lavoro durissimo e la sua America non aveva nulla del sogno ma tanto dell'incubo.

Tre anni dopo, quando scoppiò la prima guerra mondiale e venne richiamato, gli sembrò una liberazione, si imbarcò, fece il viaggio al contrario e tornò in Italia. Negli anni Trenta aprì il suo negozio e diventò punto di riferimento di un quartiere che allora era la suburra di Roma. Tutti si davano appuntamento da Paris per un bicchiere o per riempire la bottiglia da portare a casa. Aveva vino bianco, sempre freddo grazie a quei blocchi di ghiaccio che aveva imparato a tagliare a regola d'arte, vino rosso, vino dolce, gazzose con i tappi a corona per i giochi dei bambini del quartiere e anche tre qualità di olio. Chiudeva due ore dopo le altre botteghe, dava il tempo ad artigiani e commercianti di passare a trovarlo.

Non sono mai andato a vedere dove fosse il negozio che rimase in attività fino alla morte del nonno, a metà degli anni Settanta. Bruno e Romano mi spiegano come arrivarci, è a poche decine di metri dalla loro libreria.

La saracinesca è abbassata, di fronte c'è solo un uomo appoggiato a un motorino. Mi guarda e dice: «Sì, è questo il negozio».

Resto interdetto, cosa ne sa lui di cosa sto cercando. Gli dico soltanto: «Scusi?».

E lui, come se fosse la cosa più naturale del mondo, replica: «Se sta cercando il negozio di vini di Paris, quello di suo nonno, allora è davanti alla vetrina giusta».

Si chiama Sandro Perri, ha 85 anni, per cinquant'anni ha avuto una bottega di falegnameria proprio di fronte alla mescita. «Io chiudevo alle sette e mezza e tutte le sere andavo a bere un bicchiere da lui. Ti ho visto arrivare, ti ho riconosciuto e allora ho capito.»

Anche la sua falegnameria è chiusa per sempre, gli chiedo cosa ci faccia ancora lì davanti. Sorride e dice solo una frase: «In questo spazio ho passato tutta la mia vita e non saprei dove altro andare». Mi stava aspettando da mezzo secolo.

XII

Un vento fortissimo

Rimaneva una cosa da fare, per mettere ordine e fare i conti con il passato.

Il giorno dopo finisce quando i conti sono regolati, quando ti fai una ragione delle cose e puoi provare a guardare avanti, anche se quel davanti magari è molto diverso da quello che avevi immaginato.

Dovevo fare un incontro che avevo evitato diciassette anni prima. Volevo tornare a Parigi per parlare con Giorgio Pietrostefani, l'uomo che è stato condannato per aver organizzato l'omicidio di mio padre.

Lo ricordo ai processi, la faccia dura, mai una parola, mai un'emozione. Un oggetto misterioso, sembrava fatto di pietra, non rilasciava dichiarazioni alla stampa, sfuggiva i microfoni e si rifugiava dietro occhiali da sole con la montatura quadrata. Mi provocava molto disagio. A un certo punto dei processi andò a vivere in Francia. Dopo la sentenza di Cassazione che confermò la condanna definitiva tornò in Italia e passò due anni nel carcere di Pisa. Poi venne accordata una revisione del processo, che si tenne a Mestre. Prima della sentenza della Corte d'appello di Venezia, la quindicesima di un percorso durato dodici anni, che rigettava la richiesta di revisione e confermava le condanne, fuggì a Parigi. Non è mai più tornato. E nessuno lo ha mai chiesto indietro con convinzione. Così ha vissuto libero in Francia per più di vent'anni.

Nell'estate del 2002, nei giorni in cui si giocavano i mondiali di calcio di Giappone e Corea del Sud, ero a Parigi per seguire le elezioni politiche. Una sera un collega mi invitò a casa sua per vedere la partita dell'Italia, ma prima di accettare venni a sapere che in quel salotto, nella poltrona di fronte alla televisione, ci sarebbe stato Giorgio Pietrostefani. L'idea di trovarmelo davanti, in un contesto di svago, non era sopportabile, così non andai.

Pensai che era curioso che tanti lo conoscessero e lo frequentassero ma per lo Stato italiano fosse un latitante. Anni dopo avremmo saputo anche che riceve regolarmente una pensione grazie ai contributi versati quando lavorava in Italia.

Ogni volta che sono stato in Francia in questi anni ho immaginato di andare a cercarlo, c'erano molte cose che avrei voluto chiedergli e volevo guardarlo negli occhi, oltre quegli occhiali. Poi c'era sempre qualcosa da fare capace di esentarmi da quella fatica.

Finché l'arresto e l'estradizione di Cesare Battisti, il terrorista dei Pac fuggito prima in Francia e poi in Brasile, hanno riportato il tema dei latitanti della stagione del terrorismo nel dibattito politico e sulle prime pagine dei giornali.

Nei miei ultimi giorni di lavoro a «Repubblica» ho saputo che il suo nome era in cima alla lista della dozzina di ex terroristi di cui il ministero della Giustizia chiede finisca la latitanza parigina. Era stato anche lui protetto in nome della «dottrina Mitterrand». Ma l'accoglienza garantita da quel presidente francese, che regnò per tutti gli anni Ottanta e per ben metà del decennio successivo, si sarebbe dovuta applicare solo a chi non aveva le mani sporche di sangue. Ho trovato il tempo per andare a cercare i documenti e le interviste di François Mitterrand e non ci sono molte cose da interpretare.

Ho cercato allora di capire che fine avesse fatto Pietrostefani, ormai aveva passato la metà dei settanta, e dove vivesse. Ho scoperto che aveva avuto un trapianto di fegato e che viveva quasi più negli ospedali che a casa.

Allora ho sentito che era tempo di farlo. Non c'erano più impegni urgenti e pressanti. E avevo chiara la sensazione che se l'avessi evitato di nuovo e l'incontro non ci fosse stato, un giorno avrei considerato tutto questo un'occasione perduta.

Ho cercato un contatto che non desse spettacolo, che

fosse riservato. L'ho trovato e ci ho messo due mesi per arrivare in fondo.

Ho avvisato mia madre, che mi ha chiesto cosa mi aspettassi e mi ha aiutato a trovare lo spirito giusto. Lei ci aveva pensato molto e alla fine mi ha ripetuto tre volte la stessa frase: «Digli che io ho perdonato, sono in pace e così voglio vivere il resto della mia vita».

Quella mattina esco all'alba, cammino per più di due ore per Parigi, facendo il giro di tutti i posti che hanno qualcosa da dirmi. Il ristorante dove Tonino ci ha fatto provare per la prima volta le ostriche, nell'unico viaggio che abbiamo fatto tutti insieme fuori dall'Italia. Resta una foto bellissima con tutti e quattro i figli appoggiati al muretto di un ponte sulla Senna.

Vado in Rue Mouffetard dove il mio amico Corso mi portava a prendere delle gigantesche crêpes salate e scendo a Notre-Dame. Non ci sono ancora turisti ma è tutto transennato, la cattedrale ferita si può guardare solo da lontano. È ancora in piedi e le due torri della facciata danno un senso di forza e di appartenenza che va oltre la cronaca e appartiene alla Storia.

Poi arriva il primo pullman di turisti, scarica un fiume di asiatici che cominciano a farsi selfie con uno degli sfondi più famosi del mondo.

È tempo di andare. Si alza un vento fortissimo, annuncia tempesta.

Ho imparato la puntualità, arrivare in anticipo mi sembra una delle più belle conquiste di questo tempo nuovo.

L'uomo che mi trovo di fronte ha la barba bianca, è talmente magro da sembrare la metà di quello di un tempo. Ha quasi 76 anni, ne aveva 28 quel 17 maggio 1972 quando spararono a mio padre. Io avevo due anni e mezzo.

Infagottato in un giubbotto verde, con gli occhiali da sole quadrati che aveva anche ai tempi del processo. Lo vedo che cammina avanti e indietro di fronte all'albergo, guarda continuamente l'ora, è anche lui in anticipo.

Allora esco e gli vado incontro, anche se non sono sicuro che sia lui perché è irriconoscibile. Solo gli occhi, noto dopo, ricordano chi era.

È teso. Deve aver dormito peggio di me. Incontrare uno che somiglia così tanto a quel poliziotto contro cui scatenarono una delle più violente campagne di odio della storia del nostro paese, fino al suo omicidio, non deve essere facile. Fare i conti con la Storia nemmeno.

Parliamo per mezz'ora, seduti nella hall di un anonimo albergo popolato solo di turisti americani.

C'è stato un momento, molti anni fa, in cui mia madre decise che pubblico e privato si sarebbero separati per sempre. Che non avremmo più parlato di processi. Chiedevamo giustizia e, seppur dopo tanti anni, l'abbiamo ottenuta, tutto il resto – dall'esecuzione delle pene, ai permessi, all'estradizione fino alle grazie – non spettava a noi ma allo Stato.

Ricordo l'esatto momento in cui mia madre mi disse che era giusto fare così. Eravamo seduti in macchina sotto casa della nonna, chissà perché. Forse perché lei era l'unica ad avere il computer e la stampante, nonostante i suoi ottant'anni. Dovevamo compilare un modulo per dare il nostro parere sulla richiesta di grazia per Ovidio Bompressi, condannato per aver sparato a mio padre, il presidente della Repubblica era Carlo Azeglio Ciampi.

Il modulo prevedeva che noi potessimo dire sì o no. Mia madre si rifiutò e ragionò: non siamo nel Medioevo che una famiglia decide se una persona deve stare o meno in carcere, la giustizia non può essere un fatto privato, tanto che viene amministrata in nome del popolo italiano. Lo Stato deve avere il coraggio delle sue decisioni, assumendosene la responsabilità. Non può nascondersi dietro una famiglia. Noi ci rimettiamo all'interesse generale, non ci metteremo di traverso e non commenteremo in alcun modo, faccia il presidente della Repubblica quello che ritiene giusto per l'Italia.

Da quel momento mia madre non ha più detto una parola sulle vicende e ha intrapreso con convinzione un processo di pacificazione interiore. Un percorso privato, con cui ha sempre cercato di contaminare me e i miei fratelli.

Questi percorsi sono fatti di passi avanti e marce indietro, ma sono fondamentali per trovare una pace interiore.

Così sono andato a incontrare quell'uomo che non aveva più nulla dei suoi 20 anni. Dovevo farlo.

Adesso, il mio giorno dopo era finito davvero.

Ringraziamenti

Il viaggio nella storia contenuto in questo libro ha molti debiti di riconoscenza, prima di tutto con i due grandi sindaci di Montà, Domenico Almondo e Silvano Valsania; con Maurizio Cherchi, che sa sempre dove mettere le mani e dove cercare le storie grandi e piccole del Novecento; con tutto il personale dell'Archivio Storico della città di Torino, luogo prezioso dove cercare il passato familiare e vedere ottime mostre; con Maurizio Torchio dell'Archivio Storico della Fiat e tutti quelli che lavorano con lui: entrare nella vecchia fabbrica dove nacque l'automobile italiana è un viaggio emozionante che vi consiglio.

Grazie soprattutto a chi mi ha tenuto la mano quando la corrente era più forte.

Mondadori Libri S.p.A.

Questo volume è stato stampato
presso ELCOGRAF S.p.A.
Stabilimento - Cles (TN)

Stampato in Italia - Printed in Italy